Univers des Lettres Bordas

Sous la direction de Fernand Angué

M A R I V A U X

LE JEU DE L'AMOUR ET DU HASARD

Comédie
avec une notice sur le théâtre au XVIIIe siècle,
une biographie chronologique de Marivaux, une étude
générale de son œuvre, une analyse méthodique
de la comédie, des notes, des questions

par

Pierre MICHEL

Agrégé des Lettres

MARIVAUX à 65 ans. Tableau de L. Van Loo, 1753.

© Bordas, Paris 1963 - 1ʳᵉ édition;
© Bordas, Paris, 1984 pour la présente édition
I.S.B.N. 2-04-016042-6; I.S.S.N. 0249-7220

LE THÉÂTRE AU XVIIIᵉ SIÈCLE

La vogue des spectacles

L'appétit de plaisir, freiné par la vieillesse pieuse de Louis XIV, se réveille avec la Régence : l'un des premiers actes de Philippe d'Orléans est de rappeler les Comédiens-Italiens (1716). Toutes les classes de la société trouvent, en effet, dans le théâtre leur divertissement préféré. La renommée des scènes parisiennes attire des spectateurs venus de toute l'Europe. Dans son guide destiné aux jeunes Allemands séjournant à Paris, Nemeitz[1] consacre deux chapitres (VII et XIV) aux divers spectacles. Arrivant à Paris en 1742, Jean-Jacques Rousseau croit devenir célèbre, non seulement par une nouvelle méthode de notation musicale, mais grâce à sa comédie de *Narcisse*. Lorsque Saint-Preux[2] s'efforce d'oublier Julie en voyageant, il assiste aux représentations de l'Opéra et de la Comédie-Française. Le jeune homme a beau condamner l'immoralité du théâtre, il sacrifie, tout comme son créateur, à l'idole du temps.

Les troupes au XVIIIᵉ siècle

1. La **Comédie-Française**. — A la mort de Molière (1673), la troupe du « Palais-Royal » a fusionné avec le théâtre du Marais, devenant l' « Hôtel Guénégaud ». En 1680, celui-ci s'est associé avec l' « Hôtel de Bourgogne », et a pris le nom de « Comédie-Française ». En 1687, la Comédie-Française s'est installée au Jeu de paume de l'Étoile, rue des Fossés-Saint-Germain (aujourd'hui, rue de l'Ancienne-Comédie), puis a fait construire un immeuble sur cet emplacement. A l'époque du *Jeu de l'Amour et du Hasard* (1730), l'**Hôtel des Comédiens-Français entretenus par le Roi** se trouve donc en face du célèbre café Procope, rendez-vous des beaux-esprits, des « nouvellistes », des artistes, des auteurs et des joueurs d'échecs. En 1770, les Comédiens-Français s'installeront au palais des Tuileries, salle des « Machines », puis en 1782, à l'Odéon. Scène officielle, le Théâtre-Français rehausse le prestige national par la qualité de son répertoire et de ses interprètes. « Le public, note d'Alembert (*Éloge de Marivaux*), jaloux sans doute de conserver au Théâtre-Français la supériorité que toute l'Europe lui accorde, juge avec rigueur tous ceux qui se présentent pour en soutenir la gloire. »

J.-J. Rousseau constate (*La Nouvelle Héloïse*, IIᵉ partie, lettre XXIII) que les spectateurs y sont plus difficiles qu'à l'Opéra. C'est une consécration pour un auteur d'y être joué, et pour un acteur d'appartenir à la glorieuse compagnie. Son répertoire comprend les « pièces immortelles » de Corneille, de Racine et de

---

1. *Séjour de Paris, c'est-à-dire Instructions fidèles pour les voyageurs de condition...* traduction française de 1727. — 2. *La Nouvelle Héloïse*, seconde partie, *Lettres XVII et XVIII* (1761) : voir plus loin, p. 8-11.

Molière, ainsi que les tragédies et les comédies des contemporains notoires.

2. **L'Opéra.** — Non moins officielle est l' « Académie royale de musique et de danse », dont le premier directeur fut Lully (1672). « L'Opéra de Paris passe à Paris pour le spectacle le plus pompeux, le plus admirable qu'inventa jamais l'art humain » (J.-J. Rousseau, *la Nouvelle Héloïse*, IIe partie, *Lettre* XXIII). Installé dans la salle du Palais-Royal, l'Opéra, vers 1720, est placé sous l'autorité du Directeur général des bâtiments du Roi, le duc d'Aumont, et pourvu d'un Inspecteur général, Destouches, qui dirige les vieux opéras, les instruments et les chants. Les chanteurs, danseurs, instrumentistes forment « une petite république composée d'environ deux cents personnes » (Nemeitz, *op. cit.*). Jaloux de son privilège, l'Opéra est en perpétuel conflit avec la Comédie-Italienne, et surtout avec le Théâtre de la Foire, berceau de l'Opéra-Comique (1762).

3. **Le Théâtre-Italien.** — De l'aveu unanime, les Comédiens-Italiens sont la troupe la plus originale de l'époque (1716-1762). Leur implantation date de la Renaissance : Catherine de Médicis (1570), puis Henri III (1576) avaient appelé les acteurs de la *Commedia dell'arte* à Paris où, selon le *Journal* du chroniqueur l'Estoile, ils attiraient plus de monde que les meilleurs prédicateurs du temps. Chaque acteur joue toujours le même rôle (Pantalon, Arlequin, Colombine, le Docteur...) et improvise librement sur le « canevas » ou scénario, accroché dans les coulisses. Excellents mimes et acrobates, experts dans l'art des reparties et des plaisanteries cocasses *(lazzi)*, les *Gelosi* (jaloux de plaire) divertirent Louis XIV, qui applaudit Tiberio Fiurelli (Scaramouche) et Domenico Biancolelli (Arlequin) à l'égal de Molière.

Cependant, les Comédiens-Italiens (promus « Comédiens du Roi » en 1665, et installés en 1680, rue Mauconseil, dans l'ancien Hôtel de Bourgogne) avaient été expulsés en 1697 : les animateurs de la troupe, les frères Constantini, avaient outrepassé les libertés permises au théâtre en prenant comme cibles de leurs satires les commissaires du Châtelet, et surtout en jouant *la Fausse Prude*, pièce considérée à tort ou à raison comme visant Mme de Maintenon. Selon Brossette, tout Paris, et Boileau lui-même, regrettèrent la fermeture du Théâtre-Italien : « Depuis Molière, il n'y a point de bonnes pièces sur le Théâtre-Français [...]. On m'a envoyé *le Théâtre Italien* [recueil de Ghérardi]... c'est un grenier à sel [...]. Je plains ces pauvres Italiens ; il valait mieux chasser les Français. »

Aussitôt au pouvoir, le Régent demande au prince de Parme de lui envoyer l'élite des acteurs italiens. La nouvelle troupe, dirigée par Luigi Riccoboni, dit Lélio (1674-1753), auteur-acteur, comprend principalement Flaminia, épouse de Lélio, « première amoureuse » ; Joseph Baletti, frère de Flaminia, « second amoureux » ; Zanetta Benozzi, cousine germaine de Baletti, « seconde amoureuse » et future étoile des pièces de Marivaux sous le nom de Silvia ; enfin, Thomassin, qui a le monopole du rôle d'Arlequin. Les « Comédiens italiens de Mgr le duc d'Orléans, Régent », font une brillante rentrée le 18 mai 1716, dans la salle du Palais-Royal, avec une comédie, *l'Heureuse Surprise*, puis se réinstallent à l'Hôtel de Bourgogne, rue Mauconseil. Pieux, cultivé, de tempérament grave et mélancolique, Riccoboni veut faire oublier les licences de l'ancien théâtre italien en renouvelant son répertoire. Néanmoins, il joue encore beaucoup de « canevas » traditionnels, d' « arlequinades » et de parodies de tragédies ou d'opéras, à côté de comédies plus littéraires. A partir de 1720 (*Arlequin poli par l'Amour*) jusqu'en 1740 (*l'Épreuve*), Marivaux est l'un des principaux fournisseurs de la Comédie-Italienne.

4. Le **Théâtre de la Foire.** — En dehors de ces théâtres permanents, la FOIRE SAINT-LAURENT (fin juin-fin septembre) dans le quartier nord de Paris, et la FOIRE SAINT-GERMAIN (début de février jusqu'au dimanche de la Passion), près de l'abbaye Saint-Germain-des-Prés, offrent des distractions variées : par exemple, « un lion d'une grandeur peu commune, un singe habillé d'abord en mousquetaire, puis en demoiselle et ensuite en arlequin [...] un lièvre qui bat la caisse et fume du tabac » (Nemeitz, *op. cit.*) ; mais aussi des marionnettes et, après les danseurs de corde, des pantomimes, des parodies et des saynètes satiriques. De 1697 à 1716, le Théâtre de la Foire avait profité de l'absence des Comédiens-Italiens et multiplié les arlequinades (p. ex. *Arlequin, roi de Serendib*, de Lesage, en 1713). Engagé dans d'interminables procès avec la Comédie-Française (qui lui interdit de parler) et avec l'Opéra (qui l'empêche de chanter), le Théâtre de la Foire survit néanmoins, et il créera l'Opéra-Comique, qui fusionnera avec la Comédie-Italienne en 1762.

5. **Théâtres privés et scènes scolaires.** — Dans les châteaux, les scènes improvisées ou permanentes sont nombreuses : à la cour de Sceaux, chez la duchesse du Maine ; chez Mme du Châtelet à Cirey ; dans la propriété de Voltaire aux « Délices », etc. Acteurs de métier et amateurs y jouent parfois la tragédie, mais plus souvent de courtes comédies, des « canevas » et, à la fin du siècle, des « proverbes ». Les pièces de Marivaux, souvent allégées de plusieurs scènes, sont fort appréciées, à la fois pour leur mérite littéraire et le petit nombre d'interprètes qu'elles demandent.

A Paris, « les Jésuites donnent chaque année, avec beaucoup d'apparat, au commencement du mois d'août, une tragédie latine dans leur collège Louis-le-Grand [...]. Le théâtre est orné des plus belles décorations, les acteurs sont parés des plus riches habits ; ils font venir les meilleurs auteurs et les meilleurs musiciens de l'Opéra » (Nemeitz, *op. cit.*). Nombre de collèges provinciaux donnent aussi une représentation avant la distribution des prix, tradition datant du XVIe siècle. En 1759, le Parlement de Paris interdira ces représentations dans les collèges de l'Université.

Les comédiens : condition morale

Malgré l'adoucissement des mœurs, elle reste précaire. Aux yeux des théologiens catholiques ou protestants, le théâtre est un divertissement coupable. Il a fallu toute l'autorité de Louis XIV pour que Molière fût enterré en terre d'église. Bossuet a réaffirmé solennellement la condamnation du théâtre et des acteurs dans la *Lettre au P. Caffaro* et dans ses *Maximes et Réflexions sur la Comédie* (1694). La *Discipline des Églises réformées* (Genève, 1667) prescrit qu'il « ne sera loisible aux fidèles d'assister aux comédies, tragédies, farces, moralités et autres jeux, joués en public ou en particulier.. » De 1750 à 1760, les polémiques redoublent. Les *Nouvelles Observations au sujet des condamnations prononcées contre les comédiens* (1751), de Fagan, suscitent de multiples réfutations. Voltaire fait-il jouer *Zaïre* aux Délices ? Le Consistoire de Genève le rappelle à l'ordre. A plus forte raison, celui-ci est-il opposé à l'établissement d'un théâtre public dans la capitale de la Réforme. J.-J. Rousseau, « citoyen de Genève » reprend le point de vue des théologiens en se plaçant sur le terrain philosophique (*Lettre à d'Alembert sur les spectacles*). Sans doute, Voltaire, d'Alembert et Marmontel *(Apologie du théâtre)* défendent-ils le théâtre comme la fleur de la civilisation, ils ne triomphent pas de l'opposition : en 1759, le Parlement de Paris publie un arrêt interdisant toute représentation dans les collèges de l'Université ; en cette même année, le poète Gresset désavoue ses pièces dans sa *Lettre sur la comédie*.

Exclus des sacrements, les acteurs sont des déclassés. Sans doute, dans le privilège accordé à l'Opéra (1669), Louis XIV avait-il permis aux « gentilshommes et damoiselles » de chanter sur la scène sans déroger, mais il n'avait pu les préserver de l'excommunication.

Aussi, avant de venir à Paris en 1716, le pieux Riccoboni supplie-t-il le prince de Parme de « faire de fortes instances à la Cour, pour qu'il lui soit accordé le libre usage des Saints-Sacrements, comme ils [les acteurs] l'ont en Italie », mais sa supplique reste vaine. Lorsque Joseph Baletti (Mario) veut épouser sa cousine Zanetta Benozzi (Silvia), il s'adresse (1720) non à un curé de Paris, mais à M. de Chavanne, curé du village du Grand Drancy et se présente à lui, non comme acteur, mais comme « officier du roi ». Le curé n'est pas dupe ; cependant, « galant homme », il aime mieux « marier les comédiens que d'être la cause du désordre dans lequel ils pourraient vivre » (anecdote rapportée par Gueullette, témoin du mariage). L'année même du *Jeu de l'Amour et du Hasard* (1730), la sépulture religieuse est refusée à Adrienne Lecouvreur, parce qu'elle n'a pas renoncé par écrit à sa profession : « Pourquoi, s'indigne Voltaire *(Conversation de M. l'Intendant des Menus... avec M. l'abbé Grigel)*, Mˡˡᵉ Lecouvreur a-t-elle été portée dans un fiacre au coin de la rue de Bourgogne ? pourquoi le sieur Romagnesi, acteur de notre troupe italienne, a-t-il été inhumé dans un grand chemin[1] ? [...] pourquoi une actrice des chœurs discordants de l'Académie Royale de musique a-t-elle été trois jours dans sa cave ? »

Les Comédiens : condition matérielle

Variable, mais souvent bonne. Les Comédiens-Français sont constitués en société ; ils se partagent chaque soir la recette, au prorata de leurs parts. Ils paient eux-mêmes leurs costumes et

---

1. Les acteurs italiens pouvaient cependant être enterrés dans le cimetière. Saint-Sauveur : voir la note 3, p. 30.

leurs perruques. Aussi rivalisent-ils d'élégance, dépensant parfois 30 000 livres pour leur garde-robe (le père de Marivaux recevait 1 228 livres par an comme Directeur de la Monnaie : voir p. 13). Les acteurs de l'Opéra, eux, sont habillés par le théâtre, dont les recettes annuelles atteignent 300 000 livres. Ces artistes d'Opéra sont à ce point recherchés que le Roi, en 1723, donne à cinq d'entre eux, venus de Londres, un costume et une gratification de 35 000 livres. La troupe italienne de Riccoboni est régie par un statut particulier, établi par Mgr Rouillé de Coudray. Les recettes, frais déduits, dépassent rarement 600 livres par représentation ; sur ce produit net, les acteurs donnent le neuvième à l'auteur, s'il s'agit d'une pièce d'au moins trois actes, et ils partagent le reste, équitablement, entre eux. Les costumes sont aux frais de chacun. En 1723, Riccoboni, naturalisé, obtient une pension annuelle de 15 000 livres pour sa troupe, ce qui ne suffit pas à la tirer d'embarras. Un membre de la troupe sert de régisseur et tient le livre de compte, registre qui se trouve aujourd'hui à la bibliothèque de l'Opéra.

Les salles

Le **Théâtre-Français,** rue des Fossés-Saint-Germain, construit par François d'Orbay, possède un amphithéâtre relevé entre le parterre et les loges, trois étages de loges à huit places, ouvertes ou grillagées ; son éclairage, remarquable pour l'époque, est constitué par des roues horizontales munies de chandelles. Jusqu'en 1759, date à laquelle le duc de Lauraguais rend à la scène française « la liberté et l'honneur » (Voltaire), en versant aux comédiens un forfait de 12 000 livres, le plateau est encombré par des banquettes réservées à des spectateurs privilégiés.

L'**Opéra,** au Palais-Royal, dispose d'une salle sensiblement identique, mais d'une machinerie plus compliquée, les décors étant plus nombreux et plus variés. J.-J. Rousseau en a fait une plaisante caricature, raillant les misérables artifices de l'illusion scénique : voir plus loin, p. 8-11. Toutes les places sont « *honorables* » à l'Opéra ; une place au balcon, près de la scène, coûte 10 livres.

Au retour des Italiens, l'ancien **Hôtel de Bourgogne** a été magnifiquement restauré, tout en sauvegardant les dispositions primitives.

Le théâtre de la Foire se contente de tréteaux entourés de palissades et de toiles peintes.

Les représentations

La saison théâtrale va de Pâques à Pâques, les représentations étant interrompues pendant le Carême. Les Comédiens-Français jouent tous les jours, de cinq heures et demie à neuf heures ; des porte-falots attendent les spectateurs à la sortie. De 1689 à 1770, 576 pièces sont créées. L'Opéra joue trois fois par semaine : le dimanche, le mardi et le vendredi ; parfois aussi le jeudi, en hiver. Les Comédiens-Italiens jouent tous les jours, sauf le vendredi, jour de la mort du Christ. Ils sont autorisés à utiliser la scène du Palais-Royal, le lundi et le samedi.

Leurs spectacles sont souvent agrémentés de « divertissements » de chants, de musique et de danse (cf. *la Surprise de l'Amour*, de Marivaux), ce qui leur vaut des procès avec l'Opéra.

Les **costumes,** somptueux et fantaisistes, ne visent guère à la vraisemblance historique, surtout au début du siècle. Les efforts de plusieurs acteurs (Le Kain, Mlle Clairon, Mme Favart) et d'auteurs comme Voltaire et Diderot tendent à donner un peu de couleur locale aux costumes masculins. Mais les actrices préfèrent la mode du jour à l'exactitude historique ou géographique. Une partie des acteurs italiens conservent le costume traditionnel de la *Commedia dell'arte* (défroque noire du Docteur ; souquenille blanche de Pierrot ; losanges bariolés d'Arlequin, qui porte un masque noir et velu, et tient une batte) ; les autres ont des costumes de ville, à la française.

Le **public,** moins grossier qu'au XVIIe siècle, est encore fort agité ; il ne ménage ni les sifflets, ni les quolibets, ni les applaudissements bruyants. Lors de la réouverture du Théâtre-Italien (1716), le lieutenant de police, à qui incombe le maintien de l'ordre, interdit « d'entrer sans payer », fût-on « gendarme ou mousquetaire », d'entrer ou de sortir en cours de représentation, d'interrompre les acteurs, de franchir la balustrade qui sépare la scène du public... Ni ces interdictions ni la sentinelle armée placée près de la porte n'empêchent les incidents : en 1743, un chevalier, pour faire l'intéressant, jette dans l'orchestre le moucheur de chandelles. Les altercations entre les loges et le parterre ne sont pas rares.

La Comédie-française et l'Opéra vus par Nemeitz (d'après A. Franklin, *la Vie de Paris sous la Régence*, Plon, 1897) :

A la Comédie, un homme de qualité se place sur le théâtre [les banquettes sur la scène], dans une première loge ou au parterre, rarement aux secondes loges qui sont destinées aux bourgeois, jamais à l'amphithéâtre où s'assemble toute la racaille. Toutefois, à l'Opéra, l'amphithéâtre est honorable au même titre que les premières loges. Les secondes loges sont encore acceptables, ainsi que le balcon situé à côté du paradis ; pour ce dernier, il n'y faut point penser. Le balcon situé tout en bas, près de la scène, est occupé par des gens de qualité, et coûte dix livres par personne [...] Un étranger peut très bien, sans négliger ses affaires, aller à l'Opéra une fois tous les quinze jours et à la Comédie tous les huit jours.

L'Opéra vu par Jean-Jacques Rousseau (Lettre de Saint-Preux à Claire d'Orbe, *la Nouvelle Héloïse*, seconde partie, XXIII[1]) :

Figurez-vous une gaine large d'une quinzaine de pieds, et longue à proportion ; cette gaine est le théâtre. Aux deux côtés, on place par intervalles des feuilles de paravent, sur lesquelles sont grossièrement

---

1. Lettre écrite en 1759-1760 ; mais Saint-Preux est censé séjourner à Paris en 1736, donc six ans après la représentation du *Jeu*.

peints les objets que la scène doit représenter. Le fond est un grand rideau peint de même, et presque toujours percé ou déchiré, ce qui représente des gouffres dans la terre ou des trous dans le ciel, selon la perspective. Chaque personne qui passe derrière le théâtre et touche le rideau, produit en l'ébranlant une sorte de tremblement de terre assez plaisant à voir. Le ciel est représenté par certaines guenilles bleuâtres, suspendues à des bâtons ou à des cordes, comme l'étendage d'une blanchisseuse. Le soleil, car on l'y voit quelquefois, est un flambeau dans une lanterne. Les chars des dieux ou des déesses sont composés de quatre solives encadrées et suspendues à une grosse corde en forme d'escarpolette ; entre ces solives est une planche en travers sur laquelle le dieu s'asseye, et sur le devant con un morceau de grosse toile barbouillée, qui sert de nuage à ce magnifique char. On voit vers le bas de la machine l'illumination de deux ou trois chandelles puantes et mal mouchées, qui, tandis que le personnage se démène et crie en branlant dans son escarpolette, l'enfument tout à son aise. Encens digne de la divinité.

Comme les chars sont la partie la plus considérable des machines de l'Opéra, sur celle-là vous pouvez juger des autres. La mer agitée est composée de longues lanternes angulaires de toile ou de carton bleu, qu'on enfile à des broches parallèles, et qu'on fait tourner par des poliçons ¹. Le tonnerre est une lourde charrette qu'on promène sur le cintre, et qui n'est pas le moins touchant instrument de cette agréable musique. Les éclairs se font avec des pincées de poix-résine qu'on projette sur un flambeau ; la foudre est un pétard au bout d'une fusée.

Le théâtre est garni de petites trappes carrées qui s'ouvrant au besoin annoncent que les démons vont sortir de la cave. Quand ils doivent s'élever dans les airs, on leur substitue adroitement de petits démons de toile brune empaillée, ou quelquefois de vrais ramoneurs qui branlent en l'air suspendus à des cordes, jusqu'à ce qu'ils se perdent majestueusement dans les guenilles, dont j'ai parlé. Mais ce qu'il y a de réellement tragique, c'est quand les cordes sont mal conduites ou viennent à rompre ; car alors les esprits infernaux et les dieux immortels tombent, s'estropient, se tuent quelquefois. Ajoutez à tout cela les monstres qui rendent certaines scènes fort pathétiques, tels que des dragons, des lézards, des tortues, des crocodiles, de gros crapauds qui se promènent d'un air menaçant sur le théâtre, et font voir à l'Opéra des tentations de saint Antoine. Chacune de ces figures est animée par un lourdaud de Savoyard, qui n'a pas l'esprit de faire la bête.

Voilà, ma cousine, en quoi consiste à peu près l'auguste appareil de l'Opéra, autant que j'ai pu l'observer du parterre à l'aide de ma lorgnette ; car il ne faut pas vous imaginer que ces moyens soient fort cachés et produisent un effet imposant ; je ne vous dis en ceci que ce que j'ai aperçu de moi-même, et ce que peut apercevoir comme moi tout spectateur préoccupé. On assure pourtant qu'il y a une prodigieuse quantité de machines employées à faire mouvoir tout cela ; on m'a offert plusieurs fois de me les montrer ; mais je n'ai jamais

---

1. Ancienne orthographe de *polisson* : gamins qui, du haut des cintres, faisaient mouvoir la machinerie.

été curieux de voir comment on fait de petites choses avec de grands efforts.

Le nombre des gens occupés au service de l'Opéra est inconcevable. L'orchestre et les chœurs composent ensemble près de cent personnes ; il y a des multitudes de danseurs, tous les rôles sont doubles et triples, c'est-à-dire qu'il y a toujours un ou deux acteurs subalternes, prêts à remplacer l'acteur principal, et payés pour ne rien faire jusqu'à ce qu'il lui plaise de ne rien faire à son tour, ce qui ne tarde jamais beaucoup d'arriver. Après quelques représentations, les premiers acteurs, qui sont d'importants personnages, n'honorent plus le public de leur présence ; ils abandonnent la place à leurs substituts. On reçoit toujours le même argent à la porte, mais on ne donne plus le même spectacle. Chacun prend son billet comme à une loterie, sans savoir quel lot il aura, et quel qu'il soit personne n'oserait se plaindre ; car, afin que vous le sachiez, les nobles membres de cette Académie [1] ne doivent aucun respect au public, c'est le public qui leur en doit.

Je ne vous parlerai point de cette musique ; vous la connaissez. Mais ce dont vous ne sauriez avoir d'idée, ce sont les cris affreux, les longs mugissements dont retentit le théâtre durant la représentation. On voit les actrices presque en convulsion, arracher avec violence ces glapissements de leurs poumons, les poings fermés contre la poitrine, la tête en arrière, le visage enflammé, les vaisseaux gonflés, l'estomac pantelant ; on ne sait lequel est le plus désagréablement affecté de l'œil ou de l'oreille ; leurs efforts font autant souffrir ceux qui les regardent, que leurs chants ceux qui les écoutent, et ce qu'il y a de plus inconcevable est que ces hurlements sont presque la seule chose qu'applaudissent les spectateurs. A leurs battements de mains, on les prendrait pour des sourds charmés de saisir par-ci par-là quelques sons perçants, et qui veulent engager les acteurs à les redoubler.

Pour moi, je suis persuadé qu'on applaudit les cris d'une actrice à l'Opéra comme les tours de force d'un bateleur à la foire : la sensation en est déplaisante et pénible ; on souffre tandis qu'ils durent mais on est si aise de les voir finir sans accident qu'on en marque volontiers sa joie. Concevez que cette manière de chanter est employée pour exprimer ce que Quinault a jamais dit de plus galant et de plus tendre. Imaginez les Muses, les Grâces, les Amours, Vénus même s'exprimant avec cette délicatesse, et jugez de l'effet. Pour les diables, passe encore, cette musique a quelque chose d'infernal qui ne leur messied pas. Aussi les magies, les évocations, et toutes les fêtes du Sabat sont-elles toujours ce qu'on admire le plus à l'Opéra français.

A ces beaux sons, aussi justes qu'ils sont doux, se marient très dignement ceux de l'orchestre. Figurez-vous un charivari sans fin d'instruments sans mélodie, un ronron traînant et perpétuel de basses ; chose la plus lugubre, la plus assommante que j'aie entendue de ma vie, et que je n'ai jamais pu supporter une demi-heure sans gagner un violent mal de tête [...]

Les ballets, dont il me reste à vous parler, sont la partie la plus brillante de cet Opéra, et, considérés séparément, ils font un spectacle agréable, magnifique et vraiment théâtral ; mais ils servent comme partie constitutive de la pièce, et c'est en cette qualité qu'il les faut

---

1. Nom officiel de l'Opéra : Académie de musique et de danse ; voir p. 4.

considérer [...]. *Les prêtres dansent, les soldats dansent, les dieux dansent, les diables dansent, on danse jusque dans les enterrements, et tout danse à propos de tout.*

La danse est donc le quatrième des beaux-arts employés dans la constitution de la scène lyrique ; mais les trois autres concourent à l'imitation ; et celui-là, qu'imite-t-il ? Rien. Il est donc hors d'œuvre quand il n'est employé que comme danse ; car que font des menuets, des rigaudons, des chaconnes, dans une tragédie ? Je dis plus, il n'y serait pas moins déplacé s'il imitait quelque chose, parce que de toutes les unités, il n'y en a point de plus indispensable que celle du langage ; et un opéra où l'action se passerait moitié en chant, moitié en danse, serait plus ridicule encore que celui où l'on parlerait moitié français, moitié italien.

[...] Il me reste à vous dire sur l'Opéra français que le plus grand défaut que j'y crois remarquer est un faux goût de magnificence, par lequel on a voulu mettre en représentation des merveilleux qui, n'étant fait que pour être imaginé, est aussi bien placé dans un poème épique que ridiculement sur un théâtre. J'aurais eu peine à croire, si je ne l'avais vu, qu'il se trouvât des artistes assez imbéciles pour vouloir imiter le char du Soleil, et des spectateurs assez enfants pour aller voir cette imitation. La Bruyère ne concevait pas comment un spectacle aussi superbe que l'Opéra pouvait l'ennuyer à si grands frais. Je le conçois bien, moi qui ne suis pas un La Bruyère, et je soutiens que pour tout homme qui n'est pas dépourvu du goût des beaux-arts, la musique française, la danse et le merveilleux mêlés ensemble feront toujours de l'Opéra de Paris le plus ennuyeux spectacle qui puisse exister [1]. Après tout, peut-être n'en faut-il pas aux Français de plus parfaits, au moins quant à l'exécution ; non qu'ils ne soient très en état de connaître la bonne, mais parce qu'en ceci le mal les amuse plus que le bien. Ils aiment mieux railler qu'applaudir ; le plaisir de la critique les dédommage de l'ennui du spectacle, et il leur est plus agréable de s'en moquer quand ils n'y sont plus, que de s'y plaire tandis qu'ils y sont.

---

1. La Fontaine *(Épître à Monsieur de Niort sur l'Opéra)* et Boileau *(Fragment d'un prologue d'opéra)* ont partagé cette opinion. Rousseau aimait la musique pour la musique, et il a fort bien dit *(Essai sur l'origine des langues,* chap. 16) : « L'art du musicien consiste à substituer à l'image sensible de l'objet, celle des mouvements que sa présence excite dans le cœur du contemplateur. »

L'ÉPOQUE DE MARIVAUX

Règne de Louis XIV (1661-1715)

1673	Mort de Molière, *le Malade imaginaire*.	
1674	*L'Art poétique* de Boileau.	
1680	Fondation de la *Comédie-Française* (18 août).	
1682	La Cour s'installe à Versailles.	
1687	*Le Chevalier à la mode*, comédie de Dancourt.	
1688	Guerre de la Ligue d'Augsbourg. *Les Caractères* de La Bruyère ; mort de Quinault.	**Naissance à Paris**
1689	Fondation du café Procope.	
1694	Naissance de Voltaire à Paris (21 février).	
1696	*Le Joueur*, comédie de Regnard.	
1699	Mort de Racine à Paris ; *Télémaque*, de Fénelon.	**A la Monnaie de Riom**
1701-1713	Guerre de la Succession d'Espagne.	
1704	*Les Folies amoureuses*, comédie de Regnard.	
1708	*Le Légataire universel*, comédie de Regnard.	
1709	Mort de Regnard ; *Turcaret*, comédie de Lesage.	
1710	Les *mardis* de Mme de Lambert.	**Études de Droit et vocation littéraire**
1712	Naissance de J.-J. Rousseau à Genève (28 juin).	
1713	Traités d'Utrecht.	
1714	*Lettre à l'Académie*, de Fénelon.	**Le salon de Mme de Lambert**
1715	Mort de Louis XIV (1er septembre).	

La Régence (1715-1723)

1716	Rentrée des Comédiens-Italiens au Palais-Royal, puis à l'Hôtel de Bourgogne.	
1717	*L'Embarquement pour Cythère*, par Watteau. *L'Envieux*, comédie de Destouches.	**Mariage à Paris**
1718	*Œdipe*, tragédie de Voltaire. Law au faîte de la puissance.	

LA VIE DE MARIVAUX (1688-1763)

1688   (4 février). Naissance de PIERRE CARLET à Paris, paroisse Saint-Gervais, où il est baptisé le 8 (Marie-Jeanne Durry, *A propos de Marivaux*, p. 12). Son père, NICOLAS CARLET, serait d'origine normande. On ignore tout de sa mère, MARIE BULET.

1699   La famille Carlet est installée à Riom, en Auvergne, où Nicolas Carlet exercera les fonctions de Directeur de la Monnaie, jusqu'à sa mort (1719). Cet office lui procure un revenu annuel de 1 228 livres, « plus un droit sur les pièces frappées », situation moyenne pour l'époque. Il a un caractère scrupuleux et ombrageux (l'intendant d'Auvergne le dépeint comme un homme « tout remply de difficultés et qui a des imaginations extraordinaires »), traits qu'il transmet à son fils. Après la mort de Nicolas Carlet (1719), sa veuve remplira sa charge encore quelques années. Mais, depuis une dizaine d'années, Pierre ne vit plus avec ses parents.

1706-1708 (?) Peut-être au cours d'un séjour à Limoges, il compose à dix-huit ans, par gageure, en une semaine, sa première pièce : *le Père prudent et équitable ou Crispin l'heureux fourbe*, comédie en un acte et en vers, dédiée à M. Rogier, seigneur du Buisson, Lieutenant civil et de police de Limoges. La comédie, jouée dans la société de Limoges, sera publiée en 1712, à Limoges et à Paris *(au Palais et chez Pierre Huet)*. L'épître dédicatoire est signée d'un *M*, où l'on peut voir la première apparition de *Marivaux* sous une forme abrégée.

1710-1713 Pierre Carlet étudie le droit à Paris. Sa première inscription est de 1710, sous le nom de *Petrus Decarlet arvernus riomensis*, « Pierre Decarlet, auvergnat de Riom » (Marie-Jeanne Durry, *op. cit.*, p. 19 et suiv.), mais il ne soutient pas la thèse exigée pour le baccalauréat de droit.
Il fréquente le salon de la marquise de Lambert et les milieux littéraires, plus que la Faculté de droit. Sa vocation littéraire s'affirme par plusieurs ouvrages romanesques et parodiques : *Pharsamon ou les Folies romanesques* (1712), roman publié en 1737 ; *les Aventures de *** ou les Effets surprenants de la sympathie*, roman (1713-1714) ; *la Voiture embourbée*, roman (1714). Ces deux derniers romans reçoivent « l'approbation » officielle de Fontenelle, en qualité de censeur royal. Pierre Carlet fait partie du clan des Modernes, qui a le vent en poupe. En 1715, il compose un essai satirique, *le Triomphe de Bilboquet ou la Défaite de l'esprit, de l'amour et la raison*.

1717   Il épouse COLOMBE BOLOGNE, originaire d'une bonne famille de Sens (40 000 livres de dot), de cinq ans son aînée. Crébillon le Tragique est un de ses témoins.
Il compose deux parodies burlesques, *l'Iliade travestie*, signée CARLET DE MARIVAUX pour la première fois, et le *Télémaque travesti* (imprimé en 1736), collabore au *Nouveau Mercure*, successeur du *Mercure galant*, journal tout dévoué aux Modernes.

1720	*Robinson Crusoé*, roman de Daniel Defoe, et le *Spectator*, journal d'Addison, traduits en français. Faillite de Law.	**La ruine**
1721	Mort de Watteau. Les *Lettres persanes*, de Montesquieu ; *Arlequin sauvage*, comédie de Delisle de la Drevetière.	
1722	Majorité de Louis XV. Le cardinal Dubois, premier ministre.	**Journaliste**
1723	Mort du Régent et du cardinal Dubois.	

Règne de Louis XV (1723-1774)

1723	Le duc de Bourbon, premier ministre.	**Veuf**
1725	Mariage de Louis XV et de Marie Leczinska. Naissance de Greuze.	
1726	Ministère du cardinal de Fleury (1726-1743). *Voyages de Gulliver*, roman de Swift.	
1727	Mort de Newton.	
1728	*La Henriade*, épopée de Voltaire.	
1730	Mme du Deffand ouvre son salon. *Brutus*, tragédie de Voltaire. Lancret continue l'œuvre de Watteau. Chardin élu à l'académie des Beaux-Arts. *Quatrième Livre des pièces de clavecin* par François Couperin. Invention du thermomètre par Réaumur.	**Le chef-d'œuvre** **Le salon de Mme du Deffand**
1731	*Manon Lescaut*, roman de l'abbé Prévost. *Charles XII*, œuvre historique de Voltaire.	
1732	*Le Glorieux*, comédie de Destouches. *Zaïre*, tragédie de Voltaire. Naissance de Beaumarchais et de Fragonard.	
1733-1735	Guerre de la Succession de Pologne. Mme de Tencin recueille dans son salon les anciens habitués de Mme de Lambert.	**Le salon de Mme de Tencin**

1720   Naissance (probable) de COLOMBE PROSPÈRE, fille unique de Marivaux. L'année est marquée par une intense activité littéraire : *l'Amour et la Vérité*, comédie ; *Arlequin poli par l'Amour*, comédie jouée par les Comédiens-Italiens avec le plus grand succès (douze représentations), début d'une féconde collaboration avec la troupe de Luigi Riccoboni. Mais la tragédie d'*Annibal* (cinq actes) échoue au Théâtre-Français, et surtout **la faillite de la banque Law ruine Marivaux.** La vie mondaine (les mardis de Mme de Lambert jusqu'en 1733) et littéraire tempère l'amertume de l'écrivain, qui mène une existence digne et discrète.

1721   Il commence la publication d'un journal, *le Spectateur français*, à l'imitation du *Spectateur anglais* : c'est une succession de portraits et de remarques morales, où Marivaux « a mis le plus d'esprit, le plus de variété, le plus de traits » (d'Alembert). Le *Spectateur* devait être hebdomadaire, mais bientôt ne parut que tous les mois.

1722-1723   Nouveau succès au Théâtre-Italien : *la Surprise de l'amour* (seize représentations). Marivaux compose des vers pour son interprète favorite, Gianetta Benozzi, plus connue sous son nom de théâtre, Silvia.
L'année 1723 est marquée par le succès de *la Double Inconstance* au Théâtre-Italien, mais endeuillée par la mort de Mme de Marivaux. Veuf et père d'un enfant en bas âge, Marivaux ne se remariera pas, et on ne lui connaîtra pas de liaisons amoureuses. Ses contemporains, même Casanova, considèrent son attachement pour la brillante Silvia comme une affection idéale, commandée par la sympathie naturelle de l'auteur pour son interprète. Jusqu'en 1740, une production incessante et une vie de salon aux rites subtils et impérieux occupent tout le temps de Marivaux.

1724   Trois comédies : *le Prince travesti* et *la Fausse Suivante*, jouées au Théâtre-Italien ; *le Dénouement imprévu*, donnée au Théâtre-Français.

1725-1729   Les analyses sentimentales alternent avec les sujets sociaux ; soit à la Comédie-Italienne, soit au Théâtre-Français : *l'Ile des esclaves*; *l'Héritier de village* (1725) ; *les Petits Hommes sur l'Ile de la Raison* ; *la Seconde Surprise de l'Amour* (1727) ; *le Triomphe de Plutus* (1728) ; *la Nouvelle Colonie* (1729). En même temps, Marivaux publie un journal, *l'Indigent Philosophe*.

1730   La marquise du Deffand ouvre un salon, rue de Beaune, et Marivaux devient l'un de ses familiers. Le 23 janvier, le Théâtre-Italien joue *le Jeu de l'Amour et du Hasard*, avec un succès comparable à celui de la première *Surprise de l'Amour* et du *Prince travesti* (14 représentations).

1731   Marivaux commence un roman en partie autobiographique, *la Vie de Marianne ou les Aventures de Mme la Comtesse de X...* où il évoque Mme du Deffand (Mme de Miran) et Mme de Tencin (Mme Dorsin). La rédaction en durera dix ans (jusqu'en 1741). Les pièces se succèdent avec la même étonnante régularité : *la Réunion des amours* (1731) ; *le Triomphe de l'Amour* ; *les Serments indiscrets* ; *l'École des mères* (1732) ; *l'Heureux Stratagème* (18 représentations) en 1733. Cette même année, sa première hôtesse, la marquise de Lambert, meurt ; mais Mme de Tencin, qui comptait sur l'esprit pour retenir les hommages que l'âge lui retirait, développe son propre salon. Marivaux fait partie de sa « ménagerie ». C'est grâce à Mme de Tencin qu'il entrera à l'Académie

1734 *Considérations sur les causes de la grandeur des Romains et de leur décadence*, par Montesquieu.
1735 *Lettres philosophiques ou Lettres anglaises* de Voltaire.
Le Préjugé à la mode, comédie « larmoyante » de Nivelle de la Chaussée.
Essai sur l'Homme, par Pope.
1736 Stanislas Leczinski, chassé de Pologne, devient roi de Lorraine.
1737 Naissance de Bernardin de Saint-Pierre.
1738-1740 *Discours sur l'homme*, par Voltaire.
1739 *La Métromanie*, de Piron.
Buffon, Intendant du *Jardin du Roi* (le futur Jardin des Plantes).
1740 Avènement de Frédéric II de Prusse et de Marie-Thérèse d'Autriche.
Paméla, roman de Richardson.

L'Académie française : 1742

1741-1748 Guerre de la Succession d'Autriche.
La Chercheuse d'esprit, comédie de Favart.
1742 *Mahomet*, tragédie de Voltaire.
1743 *Mérope*, tragédie de Voltaire. Mort du cardinal de Fleury.
1744 *L'École des mères*, comédie de Nivelle de la Chaussée (cf. Marivaux 1732).
1745 Victoire de Fontenoy, sur les Anglais.
1747 *Le Méchant*, comédie de Gresset.
Mme du Deffand reçoit dans son appartement du couvent Saint-Joseph, rue Saint-Dominique. Habitués : le président Hénault, d'Alembert, Fontenelle, Montesquieu, Marivaux, etc.

L'amitié de Mlle de Saint-Jean

1748 *L'Esprit des lois*, par Montesquieu.
Zadig, roman de Voltaire.
Clarisse Harlowe, roman de Richardson.
1749 Mme Geoffrin, riche actionnaire de la Compagnie de Saint-Gobain, ouvre un salon, rue Saint-Honoré, qui sera fréquenté le mercredi par des nobles (Caylus), des étrangers de marque (Horace Walpole, le futur roi de Pologne, Stanislas Poniatowski, l'abbé Galiani...), des écrivains (Marivaux, d'Alembert...) — et par des artistes (Falconet, Van Loo, Vernet, Boucher, Latour...) le lundi.
Lettre sur les aveugles, par Diderot.
Histoire naturelle, de Buffon (la publication durera jusqu'en 1788).

Le salon de Mme Geoffrin

1750 *L'Encyclopédie* (la publication ne sera achevée qu'en 1772).
Le *Discours sur les sciences et les arts*, de Rousseau, obtient le prix de l'Académie de Dijon.

française (voir plus loin). Si l'on en croit Duclos (*les Confessions du Comte de X...*, 1742), on était-« étourdi » chez Mme de Tencin de n'entendre parler d'autre chose que de « comédies, opéras, acteurs et actrices ». Quel régal, en revanche, pour un auteur à succès comme Marivaux!

1734-1740 Comédies, journaux et romans ne cessent de paraître : *le Cabinet du philosophe* (journal) ; *la Méprise, le Petit-Maître corrigé* (comédies, 1734) ; *la Mère confidente* (comédie, 1735) ; *le Paysan parvenu* (roman, 1735) ; *le Legs* (comédie, 1736) ; *les Fausses Confidences* (comédie, 1737) ; *la Joie imprévue* (comédie, 1738) ; *les Sincères* (comédie, 1739). Enfin, son dernier grand succès à la scène, *l'Épreuve* (1740), obtient 17 représentations.

Il fait la connaissance de J.-J. Rousseau, frais arrivé à Paris, et « a la complaisance de retoucher » sa comédie de *Narcisse*.

1742 Bien qu'il eût raillé les Académiciens, « ces parvenus de la littérature », Marivaux est élu à l'Académie, de préférence à Voltaire. Selon d'Alembert *(Éloge de Marivaux)*, cette élection fut « le seul événement un peu remarquable de sa vie ».

Les critiques de Marivaux déclarent, eux, qu'il « eût été mieux placé à l'Académie des Sciences, comme inventeur d'un idiome nouveau, qu'à l'Académie française, dont assurément il ne connaissait pas la langue » *(Ibid.)*. Il est reçu (1743) par l'archevêque de Sens, Languet de Gergy, dont les critiques le blessent. Après un silence de trois ans, Marivaux reprend ses activités d'auteur, mais avec moins d'aisance et de succès. Il fait diverses lectures à l'Académie.

1744 Une vieille demoiselle, Mlle de Saint-Jean (Angélique Gabrielle ANQUETIN DE LA CHAPELLE-SAINT-JEAN) lui donne l'hospitalité dans son appartement de la rue Saint-Honoré. C'est le début d'une amitié qui ne cessera qu'avec la mort : « Il fut enfin assez heureux pour trouver, longtemps après [la mort de Mme de Marivaux], un autre objet d'attachement, qui, sans avoir la vivacité de l'amour, remplit ses dernières années de douceur et de paix » (D'Alembert, *Éloge de Marivaux*).

Dépensier pour sa toilette et aimant faire la charité, Marivaux s'endette, et comme la pension du Roi (500 livres) ne lui suffit plus, Mlle de Saint-Jean l'aide : en 1753, il reconnaît lui devoir 20 900 livres, dont il se libérera seulement en 1757. Sa comédie, *la Dispute* (19 octobre), n'a qu'une représentation.

1745 Une séparation douloureuse en dépit des sentiments chrétiens de Marivaux : sa fille unique, Colombe-Prospère, entre comme novice à l'abbaye cistercienne du Trésor, près de Bus-Saint-Rémy (Eure). Dotée par le duc d'Orléans, elle prononce ses vœux définitifs l'année suivante. Les œuvres s'espacent de plus en plus : en 1748, il lit à l'Académie française ses *Réflexions sur l'esprit humain ;* en 1749, tout en continuant à fréquenter le salon de Mme du Deffand, il est reçu aux mercredis de Mme Geoffrin, rue Saint-Honoré, qui rassemble à ses soupers les plus grands noms des lettres, de la noblesse et de la diplomatie. Mais les préoccupations philosophiques l'emportent sur les jeux délicats du cœur et de l'esprit, et Marivaux n'a plus l'audience de jadis, dans le salon de Mme de Lambert. Marmontel le montre beau-

1750	*Grandisson*, roman de Richardson.	
1751	*Le Siècle de Louis XIV*, œuvre historique de Voltaire.	
1752	*Le Devin de village*, opéra-comique de Rousseau.	
1755	*Discours sur l'inégalité*, de Rousseau.	**Vieillesse**
1756-1763	Guerre de Sept ans.	**morose**
	Essai sur les mœurs, par Voltaire.	
	Poème sur le désastre de Lisbonne, par Voltaire.	
1757	*Le Fils naturel*, drame bourgeois de Diderot.	
1758-1770	Ministère de Choiseul.	
	Lettre à d'Alembert sur les spectacles par Rousseau.	
	Le Père de famille, drame bourgeois de Diderot.	
1759	Le duc de Lauraguais rachète, pour 12 000 livres, les « banquettes » qui encombrent la scène du Théâtre-Français.	
	Candide, roman de Voltaire.	
1760	*Les Philosophes*, comédie satirique de Palissot ; *Poésies d'Ossian*.	
	La Nouvelle Héloïse, roman de Rousseau.	
1762	*Le Contrat social*, *l'Émile*, de Rousseau.	
1763	Traité de Paris.	**Mort à Paris**

Les aînés de Marivaux et ses cadets

Molière (1622)
.Thomas Corneille (1625)
..Pradon (1632)
...Quinault (1635)
....Racine (1639)
.....La Bruyère (1645)
......Dufresny (1648)
.......Regnard (1655)
........Dancourt (1661)
.........Lesage (1668)
..........Houdart de la Motte (1672)
...........Crébillon père (1674)
............Destouches (1680)

Montesquieu, Piron (1689) ....
Nivelle de la Chaussée (1692) ......
Abbé Prévost (1692) ....
Voltaire (1694) ....
Gresset (1709) ....
Marivaux   J.-J. Rousseau (1712) ....
né en 1688   Diderot (1713) ....
d'Alembert (1717) ....
Beaumarchais (1732) ....
La Harpe (1739) ....
Sébastien Mercier (1740) .
Fabre d'Églantine (1750).
M.-J. Chénier (1764) ..

L'âge du succès

Racine *(Andromaque)* : vingt-huit ans.
Marivaux *(Arlequin poli par l'Amour)* : trente-deux ans.
Montesquieu *(Lettres persanes)* : trente-deux ans.
Rousseau *(Premier Discours)* : trente-huit ans.
Beaumarchais *(Le Barbier de Séville)* : quarante ans.

L'adieu à la scène à soixante-sept ans avec *la Femme fidèle* (1755).

coup moins à l'aise que d'Alembert : « Marivaux aurait bien voulu avoir aussi cette humeur enjouée, mais il avait dans la tête une affaire qui le préoccupait sans cesse et lui donnait l'air soucieux. Comme il avait acquis par ses ouvrages la réputation d'esprit subtil et raffiné, il se croyait obligé d'avoir toujours cet esprit-là, et il était continuellement à l'affût des idées susceptibles d'opposition ou d'analyse, pour les faire jouer ensemble ou pour les mettre à l'alambic » (*Mémoires*, livre VI).

De nouvelles lectures à l'Académie française (*Réflexions sur Corneille et Racine*, 1750 ; *Réflexions sur les Romains et sur les anciens Perses*, 1751) ; des *Compliments* adressés au chancelier de Lamoignon et au garde des Sceaux, au nom de l'Académie ; une comédie mi-plaisante, mi-sérieuse, en un acte, *la Femme fidèle*, jouée sur la scène du château de Berny (24 août 1755) ; deux comédies en un acte, *Félicie* (publiée dans *le Mercure de France*), les *Acteurs de bonne foi* (publiée dans *le Conservateur*) sont ses dernières œuvres connues (1757).

1763   Depuis 1757, Marivaux habite avec Mlle de Saint-Jean, rue de Richelieu. Le 12 février, il meurt, faisant par testament une dernière charité aux pauvres de sa paroisse et instituant sa vieille amie légataire universelle.

—————

Documents anciens

Les frères Parfait, *Histoire du théâtre français depuis ses origines jusqu'à présent* (1745-1748) ; *Dictionnaire des théâtres de Paris* (1756).

Desboulmiers, *Histoire anecdotique et raisonnée du théâtre italien* (1769).

Nemeitz, *Séjour de Paris, c'est-à-dire, Instructions fidèles pour les voyageurs de condition...* (1727).

Documents récents

Larroumet, *Marivaux, sa vie et ses œuvres* (1882).

Bernardin, *la Comédie italienne et les Théâtres de la foire et du boulevard* (1902).

J.-E. Gueullette, *Notes et Souvenirs sur le théâtre italien au XVIIIe siècle* (1938).

Xavier de Courville, *Un apôtre de l'art du théâtre au XVIIIe siècle, Luigi Riccoboni, dit Lélio* (1945).

Jean Fournier et Maurice Bastide, *Théâtre complet de Marivaux* (1947).

Marcel Arland, *Théâtre de Marivaux* (1949).

Deloffre, *Une préciosité nouvelle : Marivaux et le marivaudage* (1955).

Paul Gazague, *Marivaux par lui-même* (1959).

Marie-Jeanne Durry, *A propos de Marivaux* (1960).

Rigault, *les Domestiques dans le théâtre de Marivaux* (1968).

Goulet et Gilot, *Marivaux : un humanisme expérimental* (1973).

MARIVAUX : L'HOMME

Si, sur sa vie privée, Marivaux a été fort discret, son caractère, ses goûts littéraires et ses manières sont connus par les anecdotes de ses contemporains et par les confidences transposées dans les œuvres, en particulier dans *le Spectateur français* et dans la *Vie de Marianne*. L'homme et l'écrivain se confondent si intimement que d'Alembert ne voit aucune différence entre le style des personnages et les propos de Marivaux en société.

Physiquement, son portrait peint par Van Loo nous montre un visage agréable et régulier, au front large, au regard intelligent et doux, un fin sourire teinté de mélancolie. Aucune ressemblance avec le pétillement ironique de Voltaire ou la sévère profondeur de Montesquieu. Dans la mise, le raffinement de l'homme du monde : la dentelle du jabot et des manchettes égayent le vêtement sombre : « Curieux en linge et en habits », note son biographe Collé [1]. Cet homme pauvre, qui se contentait d'une simple chambre chez Mlle de Saint-Jean, possédait une profusion de linge, de robes de chambre, de vêtements somptueux et gracieusement assortis, aux étoffes les plus rares : « un chatoiement! » (Marie-Jeanne Durry). Coquetterie d'un « honnête homme » qui aurait pu, s'il l'avait voulu, rivaliser avec un « petit-maître ».

Moralement, Marivaux est si complexe et nuancé que d'Alembert doit lui consacrer une étude plus longue qu'aux autres Académiciens. Naturellement bon, mais indépendant et susceptible, il se plaisait dans le monde, mais supportait mal l'esprit railleur qui y régnait : « L'honnête homme, remarque-t-il dans *le Spectateur français*, est presque toujours triste, presque toujours sans biens, presque toujours humilié ; il n'a point d'amis, parce que son amitié n'est bonne à rien ». D'Alembert déclare que Marivaux « dédaignait sa cour à ceux qui auraient pu contribuer à l'enrichir, et qui même auraient mis de la vanité à lui être utiles. Sa vie privée était uniforme et simple, bornée à la société d'un très petit nombre d'amis » (*Éloge de M...*, note 16). Lui reproche-t-on sa nonchalance, Marivaux réplique : « Oui, mon cher ami [...] je suis paresseux, et je jouis de ce bien-là en dépit de la fortune qui n'a pu me l'enlever [...] Ah! sainte paresse! salutaire indolence, si vous étiez restées mes gouvernantes, je n'aurais pas vraisemblablement écrit tant de *néants* plus ou moins spirituels ; mais j'aurais eu plus de jours heureux » *(Ibid.)*. Généreux, sachant obliger délicatement (n'a-t-il pas aidé J.-J. Rousseau sans le froisser?), « il pratiquait la véritable bienfaisance, celle qui sait se priver elle-même pour avoir le droit de s'exercer » (d'Alembert), distribuant d'une main ce qu'il recevait de l'autre, n'acceptant des secours que de quelques amis choisis (Fontenelle, Helvétius), car « il avait besoin d'aimer et d'estimer ses bienfaiteurs » (d'Alembert). A la fois naïf, fier et bienveillant, il s'étonnait des attaques dont

---

1. *Journal historique, ou Mémoires sur les ouvrages dramatiques...* (1748-1772).

ses œuvres étaient l'objet, mais n'y répondait pas : « Les injures dites par un écrivain décrié à un homme de lettres estimable sont l'opprobre de celui qui les dit, la honte de celui qui les autorise, et souvent l'éloge de celui qui en est l'objet. » Son amour-propre ne fut blessé durablement que par le persiflage de Voltaire, car il était « sans fiel, mais non pas sans mémoire » (d'Alembert). Vivant à une époque fort indulgente aux mœurs légères, il se montra un mari fidèle, puis un veuf « longtemps inconsolable » ; son amitié pour la brillante Silvia et son intimité d'automne avec Mlle de Saint-Jean ne suscitent aucune médisance. Aussi éloigné de la philosophie irréligieuse que de la dévotion, il déteste l'hypocrisie : les seuls personnages odieux de *la Vie de Marianne* sont de nouveaux Tartuffes (M. de Climal, vieux libertin sous le masque de la religion, la noble parente de Mme de Miran, entichée de ses titres). Aussi simple dans sa foi que subtil en littérature, Marivaux se préoccupe plus de la métaphysique du cœur que de celle de l'âme et vise plus à la morale qu'à l'esprit :

Je serais peu flatté d'entendre dire que je suis un bel esprit ; mais si on m'apprenait que mes écrits eussent corrigé quelques vices, ou seulement quelques vicieux, je serais vraiment sensible à cet éloge...

Socialement, Marivaux appartient à la bourgeoisie ou à la petite noblesse (on ne sait d'où vient sa particule) qui, émancipées de la tutelle de la Cour, prennent conscience de leur importance, mais sans aller jusqu'à la révolte. Certes, dans les salons parisiens, les titres et l'argent comptent toujours beaucoup ; néanmoins, les « Monsieur Jourdain » se font rares, et l'aristocratie de l'intelligence égale souvent les privilèges de la naissance. La civilisation atteint un sommet, où les différences sociales s'atténuent. En dépit de sa ruine, causée par la faillite de Law, Marivaux a pu goûter cette douceur de vivre que regrettait Talleyrand et qu'envia Paul Valéry (*Variété* II) : « Entre l'ordre et le désordre règne un moment délicieux [...] Les institutions tiennent encore. Elles sont grandes et imposantes. Mais, sans que rien de visible soit altéré en elles, elles n'ont guère plus que cette belle présence [...] Le corps social perd doucement son lendemain. C'est l'heure de la jouissance et de la consommation générale ».

Politiquement, Marivaux n'est ni un tribun révolutionnaire, on s'en doute, ni même un « Philosophe », comme Montesquieu, Voltaire, Diderot ou Rousseau. Sa modération et sa délicate résignation l'éloignent autant de l'ironie acide des *Lettres persanes* (1721) que de la critique délibérée des *Lettres philosophiques* (1734). Le « Théophraste moderne », comme l'appelle le *Mercure*, est plus proche des *Caractères* de La Bruyère que de l'*Encyclopédie*. Ni destructeur, ni constructeur, mais observateur lucide, Marivaux discerne l'évolution sociale et ne s'en irrite pas. Plusieurs de ses comédies (*L'Ile des esclaves, l'Ile de la raison, La Colonie, le Triomphe de Plutus*) montrent les revendications des valets à l'égard des maîtres, des femmes à l'égard des hommes, la victoire de l'argent sur la poésie, mais ce ne sont pas des « bergeries révolutionnaires », selon l'ingénieuse définition de Sainte-Beuve (*Causeries du Lundi*). Les bergers n'y deviennent pas loups.

Évoque-t-il, dans *le Paysan parvenu*, les aventuriers si nombreux au XVIIIe siècle (pensons à Casanova, à Rivarol avant Marat), Jacob, le héros du roman, perturbe les cœurs plutôt que la société : « *Ce paysan deviendra dangereux* », remarque la femme de seigneur, mais les paysans ne le sont pas encore, et l'ascension de Jacob reste isolée. C'est le cœur qui abat les barrières, comme dans *la Double Inconstance* ou dans *le Préjugé vaincu*, non la violence. Le moraliste, chez Marivaux, l'emporte sur le politique, et l'homme de salon sur le critique social.

MARIVAUX : SES PRINCIPES

Être soi-même. Alors que les Classiques du XVIIe siècle préconisaient l'imitation des Anciens pour atteindre la perfection, Marivaux ne reconnaît « en aucun genre, en aucune nation, en aucun siècle, ni maître, ni modèle, ni héros ». Il préfère « être humblement assis sur le dernier banc dans la petite troupe des auteurs originaux, qu'orgueilleusement placé à la première ligne dans le nombreux bétail des singes littéraires » (cité par d'Alembert).

Anti-Molière. A l'opposé de Baron, de Dancourt et de Regnard qui imitent la comédie de caractère de Molière, il cherche une voie originale ; mais il a « le malheur de ne pas estimer beaucoup Molière, et le malheur plus grand de ne pas s'en cacher » (d'Alembert). Comme La Bruyère et Vauvenargues, il reproche à Molière de forcer les caractères. D'ailleurs, parmi les écrivains français, il ne fait grâce qu'à Montaigne, Corneille et, parmi ses contemporains, à Dufresny.

Anti-Anciens. Ami de Fontenelle et de Lamotte-Houdar, Marivaux prend part à la querelle d'Homère ; se comportant en « blasphémateur intrépide de l'Iliade », il parodie l'épopée antique dans son *Iliade travestie* (1717), non pour se divertir comme l'avait fait Scarron dans *l'Énéide travestie*, mais parce qu'il condamne les héros d'Homère, « qui parlent tant et qui agissent si peu », et toutes les « absurdités » qu'on trouve dans ses vers. Il récidive dans la préface de son *Télémaque travesti* (1717, publié en 1736), affirmant la supériorité de son siècle sur l'antiquité : « Serait-il seulement raisonnable, je ne dis pas de mépriser, mais de comparer nos richesses au petit gain de celles que possédait le temps d'Homère ? » Qu'on ne voie pas là une impertinence de jeunesse : les partisans des Anciens sont raillés dans deux comédies, *la Fausse Suivante* (1724) et *la Seconde Surprise de l'Amour* (1727).

Anti-poète, Marivaux n'a composé que deux pièces en vers[1] : sa première comédie, *le Père prudent et équitable*, et son unique tragédie, *Annibal*. Soit par manque de dons, soit par communauté de

---

1. En dehors de quelques vers galants, dédiés à Silvia.

principes avec Lamotte et Fontenelle, dans le débat qui oppose versificateurs et prosateurs au début du XVIIIᵉ siècle il se range parmi les adversaires de la poésie en vers. Volontiers, il condamnerait la rime et la mesure comme « des entraves pour la justesse ». La prose, elle, se manie au gré de la pensée, aussi est-ce « le vrai langage de la comédie ».

Peintre de l'amour. Dès le XVIIIᵉ siècle, le marquis d'Argens remarquait que la plupart des comédies de Marivaux sont des « surprises de l'amour ». Il n'y a pas la stérilité, mais dessein prémédité : *J'ai guetté dans le cœur humain toutes les niches différentes où peut se cacher l'amour, lorsqu'il craint de se montrer, et chacune de mes comédies a pour objet de le faire sortir d'une de ces niches.* Le risque, c'est de tomber dans la monotonie. Pleinement conscient du danger de cet « air de famille », Marivaux multiplie les variations sur le thème principal. L'amour ne se présente jamais au même degré d'évolution chez les partenaires : *c'est tantôt un amour ignoré des deux amants, tantôt un amour qu'ils sentent et qu'ils veulent se cacher l'un l'autre ; tantôt enfin un amour incertain et comme indécis, un amour à demi né.*

Dans la plupart des comédies antérieures (Molière, Regnard), l'amour des jeunes gens, aidé par les valets et les servantes, se heurte à l'opposition des parents. Marivaux rejette le ressort traditionnel de l'obstacle extérieur. C'est en eux-mêmes que les personnages découvrent leurs raisons d'hésiter ou d'aimer ; le développement de la pièce ne dépend que de leurs sentiments ; les valets les aident à mieux se connaître, leur rôle étant lui aussi dominé par le thème central : *l'amour [...] n'est en querelle qu'avec lui seul et finit par être heureux malgré lui.*

Cette vie sentimentale reste honnête et naturelle ; le mariage n'est pas seulement le dénouement habituel de toute comédie, mais le départ pour une vie heureuse, « la recherche d'un assentiment puissant qui les liera pour une vie commune de levers, de repas et de repos » (Giraudoux, *Hommage à Marivaux*, 1943). Avant Nivelle de La Chaussée, Marivaux s'insurge contre « le préjugé à la mode », qui opposait le mariage et l'amour. Sans se faire d'illusion sur la société, il a choisi d'être optimiste, moral sans fadeur et vrai sans réalisme. Il n'ignore pas la puissance de l'argent (*le Legs, la Fausse Suivante*), des hiérarchies sociales (*le Jeu de l'Amour et du Hasard, le Préjugé vaincu*), mais il estime que l'amour doit en triompher.

Le style naturel. Les contemporains (l'abbé Desfontaines, Voltaire, d'Alembert, La Harpe) ont reproché à Marivaux d'employer un style « précieux », rempli de « néologismes », particulièrement dans ses romans. En se défendant, Marivaux a constitué une véritable doctrine stylistique ; cette langue qu'on accuse d'être artificielle est en réalité sa langue « maternelle », celle qu'il parlait lui-même dans les salons : *Écrire naturellement [...] c'est se ressembler fidèlement à soi-même [...] penser naturellement, c'est rester dans la singularité d'esprit qui nous est échue* (*le Spectateur français*, 7ᵉ et 8ᵉ livraisons, 1723). La justesse du style ne réside pas dans une « clarté pédantesque [...] qui ruine la force et la vivacité » *(Pensées sur la clarté du discours)*, mais dans l'accord intime de la pensée et de l'expression. La profondeur de l'observation morale exige une création incessante de style, le langage commun étant incapable d'exprimer le caractère individuel des sentiments. L'écrivain ne peut traduire ces nuances que par *un assemblage d'idées et de mots très rarement vus ensemble (le Cabinet du philosophe*, 6ᵉ feuille). Le néologisme se justifie par l'évolution naturelle de la langue et le progrès de la civilisation : *S'il venait en France une génération d'hommes qui eût encore plus de finesse d'esprit* [...] *il faudrait de nouveaux signes pour exprimer les nouvelles idées.* Voilà pourquoi la langue de Vaugelas et de Malherbe, devenue insuffisante, doit céder la place à une langue « à part » : « l'âme qui la parle ne prend jamais un mot pour un autre » *(Voyage au Monde vrai*, 1734). La sincérité de la pensée et celle du style ne font qu'un. Le « marivaudage » devance la préciosité de Mallarmé, de Proust et de Giraudoux.

Le naturel sur la scène. Marivaux, rapporte d'Alembert, « prêchait rigoureusement la simplicité à ses acteurs ». Il accusait la célèbre Adrienne Lecouvreur d'être « maniérée et précieuse », et la plupart des Comédiens-Français de commettre un « contresens perpétuel » en préférant un jeu brillant à la naïveté : « J'ai eu beau le répéter aux comédiens, la fureur de montrer de l'esprit a été plus forte que mes très humbles remontrances. » De là son engouement pour les Comédiens-Italiens, plus dociles et jouant plus naturellement. De Silvia, qui donnait l'impression de la spontanéité dans les nuances les plus délicates, il ne parlait qu'avec « une espèce d'enthousiasme », car elle ne paraissait jamais sentir la valeur de ce qu'elle disait et ne se faisait pas valoir aux dépens du texte. L'auteur et son interprète communiaient dans une même conception de l'art dramatique. Silvia était un « autre Marivaux » (d'Alembert).

Ainsi, la doctrine de Marivaux circonscrit un domaine assez étroit. Elle vise à la miniature plutôt qu'à la fresque, mais montre une grande cohésion et une parfaite maîtrise. Suivre la Nature — une nature policée par la société — reste le principe suprême.

MARIVAUX : SON ŒUVRE

Parce qu'il abandonna ses journaux et ne termina pas ses romans, Marivaux a laissé la réputation d'un écrivain paresseux. Mais, comme le remarque d'Alembert, « c'était tout au plus la paresse d'achever et non pas de produire ». Son œuvre est, en réalité, abondante et diverse.

1. **Deux parodies burlesques :** en 1717, *l'Iliade travestie* (12 chants) et *le Télémaque travesti*.

2. **Des romans :** d'abord, des œuvres de jeunesse raillant le genre romanesque : *Pharsamon ou les Folies romanesques* (1712) ; *les Aventures de *** ou les Effets surprenants de la sympathie* (1713-1714) ; *la Voiture embourbée* (1714). — *La Vie de Marianne*, qui prétend être l'« *histoire véritable* » d'une orpheline et non une fiction : les onze parties rédigées par Marivaux furent publiées de 1731 à 1741 ; le roman fut terminé par Mme Riccoboni. — *Le Paysan parvenu*, roman en 5 livres publié entre la 2e et la 3e partie de *la Vie de Marianne* (1734-1735). Ces deux ouvrages, au XVIIIe siècle, furent plus célèbres que les pièces de théâtre.

3. **Une tragédie** en vers : *Annibal* (1720).

4. **Des comédies** en prose (sauf *le Père prudent et équitable*). Parmi ces ouvrages, malgré leur indéniable air de famille, on peut distinguer :
   — **Les Surprises de l'Amour,** pièces les plus caractéristiques et les plus durables : *la Surprise de l'Amour* (1722) ; *la Double Inconstance* (1723) ; *la Seconde Surprise de l'Amour* (1727) ; *le Jeu de l'Amour et du Hasard* (1730) ; *les Serments indiscrets* (1732) ; *l'Heureux Stratagème* (1733) ; *le Legs* (1736) ; *les Fausses Confidences* (1737), etc.
   — **Les comédies de mœurs et de caractère :** *la Fausse Suivante* (1724) ; *L'École des mères* (1732) ; *le Petit-Maître corrigé* (1734) ; *l'Épreuve* (1740), etc.
   — **Les comédies fantaisistes,** féeriques ou allégoriques : *Arlequin poli par l'Amour* (1720) ; *le Prince travesti* (1724) ; *le Triomphe de Plutus* (1728) ; *le Triomphe de l'Amour* (1732), etc.
   — **Les comédies sociales :** *l'Ile des esclaves* (1725) ; *les Petits Hommes ou l'Ile de la raison* (1727) ; *la Nouvelle Colonie ou la Ligue des femmes* (1729).
   — **Les comédies « larmoyantes » :** *la Mère confidente* (1735) ; *la Femme fidèle* (1755).
   Ce « *paresseux* » a composé 32 pièces (Molière en composa 34).

5. **Des journaux,** remplis de réflexions morales et de jugements littéraires, à l'imitation du *Spectator* d'Addison (1672-1719) : *le Spectateur français* (1721-1724) ; *l'Indigent Philosophe* (1728) ; *le Cabinet du philosophe* (1734). Ajoutons encore des articles au *Mercure*, des *Réflexions sur Corneille et Racine*, ou *sur les Romains*, lues à l'Académie, ainsi que des *Compliments*.

Les habits sont italiens
Tableau de Watteau

(Voir page 8 : *les costumes.*)

LES PROBLÈMES POSÉS PAR « LE JEU... »

1. Marivaux en 1730

— **A la ville,** Marivaux est le type même de l'« honnête homme », dont l'esprit, les bonnes manières et l'élégance compensent la médiocre noblesse. Depuis plus de vingt ans, il fréquente les salons presque quotidiennement. Moraliste-né, il découvre chaque jour davantage la complexité de l'âme féminine, les jeux de la coquetterie et de la sincérité, le mélange d'esprit et de sentiment. Il glane de piquantes observations qu'il glisse ensuite dans ses comédies et dans ses romans. N'est-ce pas d'un salon qu'est venue cette boutade de Marianne : « *Personne n'a plus d'esprit que nous quand nous en avons un peu ; car les hommes ne savent plus alors la valeur de ce que nous disons : en nous écoutant parler, ils nous regardent, et ce que nous disons profite de ce qu'ils voient* » (*Vie de Marianne*, 1731). A cette époque, le salon de Mme de Lambert décline : la marquise meurt en 1733 ; mais Mme du Deffand, ironique et spirituelle autant que Voltaire, ouvre le sien rue de Beaune, et Mme de Tencin reçoit depuis 1726. Marivaux ne tarit pas d'éloges sur celle dont il est l'hôte assidu, « la meilleure de toutes les amies ». Il trouve chez elle un sentiment d'égalité qui flatte son amour-propre : « *Personne ne s'y souvenait du plus ou moins d'importance qu'il avait ; c'étaient des hommes qui parlaient à des hommes [...] des intelligences entre lesquelles il ne s'agissait plus des titres que le hasard leur avait donnés ici-bas* » (*Vie de Marianne*, IVe partie). Sans doute, il ne rencontre pas de Silvias chez elle : au XVIIIe siècle, les jeunes filles ne fréquentaient pas les salons. Mais Mme de Tencin a l'expérience des passions, elle aime poser des énigmes sentimentales et faire des « portraits ». Marivaux, grâce à elle, se perfectionne dans cet art difficile, dont il tire profit au théâtre (voir les portraits d'Ergaste, de Léandre et de Tersandre dans *le Jeu* : acte I, sc. 1 ; ceux des *Sincères*, etc.). Dans cette société, où il montre toute sa finesse, l'homme du monde et l'auteur ne font qu'un.

— **Dans les Lettres,** Marivaux tient un rang honorable, sans plus. Il ne « porte pas enseigne » d'homme de Lettres. Ses journaux, *le Spectateur français*, l'*Indigent Philosophe* ne l'ont pas fait connaître du grand public. A la scène, il a obtenu des succès « indécis ». L'écrivain le plus en vue est Montesquieu, à qui les *Lettres persanes* (1721) et *le Temple de Gnide* (1725), roman libertin, ont ouvert les portes de l'Académie française (1728). Voltaire, lui, rentre de son exil en Angleterre (1726-1729), des manuscrits plein ses poches. Auteur de la tragédie d'*Œdipe* (1718) et du poème épique *la Henriade* (1728), en cette même année 1730 il donne au Théâtre-Français *Brutus*, tragédie historique, inspirée de Shakespeare. Mais ses œuvres les plus marquantes sont encore à paraître : l'*Histoire de Charles XII* (1731), *Zaïre* (1732), *le Temple du goût* (1733), les *Lettres philosophiques* (1734). — Jean-Jacques Rousseau n'est, à cette époque, qu'un adolescent en quête d'une situation et d'une religion ; Diderot, un collégien de Louis-le-Grand.

2. Confrères et rivaux

Les auteurs dramatiques — la plupart oubliés aujourd'hui — ne manquent pas : en dehors de Voltaire, le Théâtre-Français joue Crébillon le Tragique (*Rhadamiste et Zénobie*, 1711 ; *Xerxès*, 1714 ; *Sémiramis*, 1717 ; *Pyrrhus*, 1726), Houdar de Lamotte (*Romulus*, 1722 ; *Inès de Castro*, 1723 ; *Œdipe*, 1730). Cette dernière tragédie est un échec, en dépit des louanges de Marivaux.

Dans le domaine de la comédie, les plus connus des continuateurs de Molière sont morts : Regnard en 1709, Dufresny en 1724, Dancourt en 1725. Lesage oublie la veine de *Turcaret* (1709) pour approvisionner le Théâtre de la Foire en innombrables *Arlequins*, rivalisant avec Piron. Au Théâtre-Italien, les pièces de Marivaux voisinent avec des parodies d'opéras et de tragédies (en 1731, *Bolus*, parodie du *Brutus* de Voltaire ; en 1732, *Arlequin au Parnasse ou la Folie de Melpomène* ; *les Enfants trouvés ou le Sultan poli par l'amour*, parodies de *Zaïre*) ; avec les comédies d'Autreau, de Fuzelier, de Delisle de la Drévetière (*Arlequin sauvage*, 1721), de Gueullette (*l'Horoscope accompli*, 1727), des acteurs de la troupe, Romagnesi et Lélio le Fils, de Beauchamps (*le Portrait*, 1727, *la Mère rivale*, 1729) ; avec des *Arlequinades* aussi, bien entendu.

Le rival le plus talentueux de Marivaux est Destouches (1680-1754), auteur de comédies moralisatrices : *le Philosophe marié* (1727) ; *l'Envieux* (1727) ; *Le Glorieux* (1732).

Quant à Nivelle de La Chaussée (1692-1754), il n'abordera la scène qu'en 1733, avec *la Fausse antipathie*. Sa pièce la plus connue, *le Préjugé à la mode* (1735), est de cinq ans postérieure au *Jeu de l'Amour et du Hasard*.

3. Marivaux et les Comédiens-Italiens

Depuis le retour des Italiens en 1716, la troupe constituée et dirigée par Luigi Riccoboni (1674-1753) a beaucoup changé. En 1730, elle a perdu trois de ses principaux acteurs : Riccoboni, dit Lélio, s'est peu à peu détourné de la scène pour des missions secrètes en Angleterre, des ouvrages littéraires (*Histoire du Théâtre-Italien*, du *Nouveau Théâtre-Italien*). Sa démission, celles de sa femme Flaminia et de son fils François sont acceptées par le roi (25 avril 1729, cf. *Registre du Théâtre-Italien*, bibliothèque de l'Opéra). L'acteur-auteur Romagnesi (1692-1762) prend alors la direction de la troupe et Joseph Baletti, mari de Silvia, dit Mario, qui jouait jusqu'alors le « second amoureux », remplace **Lélio** dans le rôle de « premier amoureux ».

La compagnie conserve deux interprètes exceptionnels :
— **Thomassin** (1682-1739), acteur, danseur et acrobate, qui tient le rôle d'Arlequin, au comique à la fois naïf et malicieux.
— **Zanetta Benozzi** (1700-1758), **Silvia** à la scène, « première amoureuse » depuis *la Surprise de l'Amour* (1722).

Née à Toulouse, Silvia a, sur ses camarades italiens, l'avantage de parler un français pur et d'une rare volubilité ; le léger accent qu'elle conserve est un charme de plus. Le portrait qu'en a laissé de Troy montre une jeune femme rayonnante de beauté, la toque plantée sur les cheveux comme une fleur, le corselet faisant valoir un décolleté généreux. Un peu plus âgée sur le tableau de Van Loo, elle sourit finement, remplie d'une grâce spirituelle. A l'époque du *Jeu*, cette brune de trente ans est dans l'épanouissement de sa nature et de son talent. « Elle passe, note Gueullette, pour la plus parfaite actrice qu'il y ait eu en France, de l'aveu de tout le monde et du vieux Baron le père, Comédien-Français, qui s'y connaissait » (*Notes et souvenirs sur le Théâtre-Italien*).

Non seulement d'autres connaisseurs, tels le marquis d'Argens et Casanova, confirment ce témoignage, mais tous admirent en elle l'inimitable interprète de Marivaux : « Personne n'entendait mieux que cette actrice l'art des grâces bourgeoises et ne rendait mieux qu'elle le tatillonnage, les mièvreries, le marivaudage, tous mots qui ne signifiaient rien avant M. de Marivaux » (Desboulmiers, *Histoire du Théâtre italien*, 1769). L'intimité de l'auteur et de l'actrice date du premier grand succès de Marivaux, *la Surprise de l'amour* (1722). Se rendant compte qu'une « nuance d'esprit et de sentiment » lui échappe dans le rôle de la Comtesse, Silvia souhaite avoir les conseils de Marivaux, qu'elle ne connaît pas encore. Celui-ci lui dit son rôle incognito : « Elle fut ravie de l'entendre [...]. Ah! Monsieur, s'écria-t-elle avec chaleur, vous me faites sentir toutes les beautés de mon rôle ; vous éclairez mon âme. Vous lisez comme je voulais, comme je sentais qu'il fallait jouer : vous êtes le diable ou l'auteur de la pièce. M. de Marivaux sourit de cette saillie et répondit simplement qu'il n'était pas le diable » (Lesbros de la Versane, *l'Esprit de Marivaux*, 1769).

Au cours de huit années, Silvia a interprété les premiers rôles de Marivaux. Avec son intuition féminine, elle devine les intentions les plus délicates du texte. Réciproquement, elle est devenue pour l'écrivain la femme idéale, aussi piquante que vertueuse. Racine passe pour avoir composé ses rôles en pensant à la Champmeslé. Marivaux trouve en Silvia un modèle. Et le départ des Riccoboni la met au premier plan. A la rentrée de Pâques 1729, c'est elle qui fait le compliment au public avec une verve babillarde. Rien d'étonnant que la Silvia du *Jeu* ait une vivacité et parfois un emportement d'une vérité rare : Marivaux n'avait eu qu'à observer la vraie Silvia dans la vie. S'il lui a laissé son nom, dans la pièce, c'est en hommage à la femme autant qu'à l'actrice.

Voici en quels termes en parle un homme qui l'a bien connue, Jacques Casanova de Seingalt (*Histoire de ma vie*, F. A. Brockhaus, Wiesbaden, librairie Plon, Paris, 1960, tome II, p. 122 et suiv.) :

Dans ce souper, ma principale attention fut celle d'étudier Silvia, dont la renommée allait aux nues. Je l'ai trouvée au-dessus de tout ce qu'on disait. Son âge était de cinquante ans [1], *sa taille était élégante, son air noble comme toutes ses façons, aisée, affable, riante, fine dans ses propos, obligeante vis-à-vis de tout le monde, remplie d'esprit sans donner aucune marque de prétention. Sa figure était une énigme, elle était intéressante, et elle plaisait à tout le monde,*

---

1. Exactement puisque Casanova fit la connaissance de Silvia en 1750. Italien, il écrivit ses *Mémoires* en français ; on a respecté sa syntaxe.

et, malgré cela, à l'examen on ne pouvait pas la trouver belle ; mais aussi personne n'a jamais osé la décider laide. On ne pouvait pas dire qu'elle n'était ni belle ni laide, car son caractère qui intéressait sautait aux yeux ; qu'était-elle donc ? Belle ; mais par des lois et des proportions inconnues à tout le monde, excepté à ceux qui, se sentant par une force occulte entraînés à l'aimer, avaient le courage de l'étudier et la force de parvenir à les connaître.

Cette actrice fut l'idole de toute la France, et son talent fut le soutien de toutes les comédies que les plus grands auteurs écrivirent pour elle, et principalement Marivaux. Sans elle, ces comédies ne seraient pas passées à la postérité. On n'a jamais pu trouver une actrice capable de la remplacer, et on ne la trouvera jamais, car elle devrait réunir en elle toutes les parties que Silvia possédait dans l'art trop difficile du théâtre, action, voix, physionomie, esprit, maintien, et connaissance du cœur humain. Tout, dans elle, était nature ; l'art qui accompagnait et avait perfectionné tout ne se laissait pas voir.

Pour être en tout unique, elle ajoutait à celles dont je viens de faire mention, une qualité que, si elle n'avait pas eue, elle ne serait pas moins montée aux faîtes de la gloire en qualité de comédienne. Ses mœurs furent pures. Elle voulut avoir des amis, jamais des amants ; se moquant d'un privilège dont elle pouvait jouir, mais qui l'aurait rendue méprisable à elle-même. Par cette raison, elle gagna le titre de respectable à un âge où il aurait pu paraître ridicule, et presque injurieux à toutes les femmes de son état. Par cette raison, plusieurs dames du plus haut rang l'honorèrent plus encore de leur amitié que de leur protection. Par cette raison, jamais le capricieux parterre de Paris n'a osé la siffler dans un rôle qui ne lui a pas plu. Par une voix générale unanime, Silvia était une femme au-dessus de son état.

Comme elle ne croyait pas que sa sage conduite pût lui être inscrite à mérite, car elle savait de n'être sage que par effet d'amour-propre, nul orgueil, nul air de supériorité put jamais être reconnu en elle, dans le commerce qu'elle dut avoir avec les actrices ses camarades qui, satisfaites de briller par leur talent, ne se souciaient pas de se rendre célèbres par leur vertu. Silvia les aimait toutes, et elle en était aimée ; elle leur rendait justice publiquement, et elle en faisait l'éloge. Mais elle avait raison : elle n'avait rien à craindre, aucune ne pouvait lui faire le moindre tort.

La nature a frustré cette femme unique de dix ans de sa vie. Elle est devenue étique à l'âge de soixante ans, dix ans après que je l'ai connue [1]. Le climat parisien joue de ces tours-là aux femmes italiennes. Je l'ai vue deux ans avant sa mort jouer le rôle de Marianne dans la pièce de Marivaux, où elle ne paraissait avoir que l'âge de Marianne. Elle mourut en ma présence en tenant sa fille [2] entre ses bras, et lui donnant son dernier conseil, cinq minutes avant d'expirer. Elle fut honorablement enterrée à Saint-Sauveur [3], sans la moindre opposition du curé, qui dit que son métier de comédienne ne l'avait jamais empêchée d'être chrétienne.

---

1. Huit ans, car elle mourut en 1758, et elle comptait seulement cinquante-huit ans. — 2. Marie-Madeleine Baletti, dite Manon, seule fille sur quatre enfants. — 3. Les acteurs italiens jouissaient du privilège de reposer en terre sainte, dans le cimetière de Saint-Sauveur.

4. Les sources du « Jeu »

Sources externes. Marivaux a beau affirmer son mépris pour les « singes littéraires » (voir p. 22), il ne manque pas de devanciers, proches ou lointains, à défaut de modèles.

— Le **titre** de la comédie rappelle les pièces médiévales, tels *le Jeu de la Feuillée* et *le Jeu de Marion et Robin* d'Adam le Bossu, mais le contenu en diffère : *le Jeu de la Feuillée* est une revue satirique des bourgeois d'Arras ; *le Jeu de Marion et Robin*, une pastorale. Au Moyen Age, le mot *jeu* désignait une catégorie d'œuvres scéniques ; chez Marivaux, le mot évoque la « partie » que jouent entre eux l'Amour et le Hasard personnifiés, en quelque sorte, par deux couples (le titre donné par Desboulmiers, *les Jeux de l'Amour et du Hasard* confirme cette interprétation). Le 11 mars 1729, les Comédiens-Italiens avaient donné une comédie intitulée *les Effets de l'Amour et du Jeu*, d'un certain Sablier ; mais *effets* est abstrait, rationnel, *Jeu* introduit une atmosphère de fantaisie souriante.

— Au répertoire comique de l'époque, Marivaux a emprunté des thèmes, des situations et des caractères. L'**épreuve** avant le mariage, grâce à un **déguisement**, se trouve dans *l'Heureuse Surprise* (1716), comédie inaugurale des Italiens ; une princesse s'y fait passer pour sa cousine afin d'observer son prétendant. Dans *Arlequin gentilhomme supposé*, Lélio prend la place de son valet. *Le Galant Coureur* (1722) de Legrand offre un double travestissement : une veuve se déguise en suivante pour étudier son futur mari, tandis que celui-ci joue le rôle du valet de pied, du « coureur ». Marivaux connaissait vraisemblablement *le Galant Coureur* : Legrand, acteur-auteur n'avait-il pas tenu le rôle de Prusias dans sa tragédie manquée d'*Annibal* (1720) ?

Le propre d'**Arlequin** est de se transformer en toutes sortes de personnages, particulièrement en homme de condition, par exemple dans *Arlequin gentilhomme supposé et duelliste malgré lui*, canevas repris en 1716 par la troupe de Lélio. Regnard fait de lui, à volonté, le vicomte de Bergamotte *(l'Homme à bonnes fortunes)*, le baron de la Dindonnière *(les Chinois)* ou le chevalier de Fondsec *(le Divorce)*. Enfin, Molière n'avait-il pas tiré parti des déguisements et des permutations de rôle dans *les Précieuses ridicules* et *le Malade imaginaire* ?

L'**appréhension d'une jeune fille devant le mariage** se trouve dans deux pièces d'Autreau, lui aussi fournisseur de la Comédie-Italienne : *L'Amante romanesque* et *la Fille inquiète*. Cette crainte est souvent la cause du déguisement. Ainsi, dans *les Effets du Dépit* (1727) de Legrand (voir plus haut), une comtesse, comme Silvia dans *le Jeu*, hésite à s'engager, et comme elle encore, excelle à faire des portraits. La comédie de Beauchamp, *le Portrait*, « petite pièce fort jolie » d'après Gueullette, jouée par les Italiens en janvier 1727, montre une Silvia romanesque, craignant et désirant l'amour ; pour découvrir le caractère de Valère, son prétendant, elle prend la place de Colombine, sa suivante. Le père de Silvia, dans *le Portrait*, est aussi libéral et affectueux que le sera M. Orgon dans *le Jeu*. En passant de la pièce de Beauchamp à celle de Marivaux, Silvia ne devait guère être dépaysée.

Enfin, la comédie romanesque mettant aux prises **l'amour et l'amour-propre** dans les querelles d'amoureux, et s'adressant à un public d'« honnêtes gens » qu'elle charme par un comique plus spirituel que caricatural existe avant Marivaux : *la Princesse d'Élide, le Dépit amoureux, Tartuffe* et *le Bourgeois gentilhomme* peuvent être considérées comme les sources lointaines des scènes entre Dorante et Silvia (cf. *le Jeu*, acte III, sc. 8).

Marivaux connaissait-il **Shakespeare** ? C'est peu probable, car il refusait de sacrifier à l'« anglomanie », et le culte de Shakespeare commença par le drame. Les affinités entre les comédies féeriques de Shakespeare et la fantaisie de Marivaux, relevées si justement par Théophile Gautier, semblent fortuites. En revanche, il avait pu assister en 1716, chez les Italiens, à une adaptation du *Chien du jardinier* de Lope de Vega, donnée sous le titre de *la Dame amoureuse par envie*. Cette comédie est un jeu continuel, tantôt badin, tantôt assez cruel, mais toujours spirituel, entre une Comtesse, sa suivante Marcelle et son secrétaire Théodore. Il est fort heureux, pour l'amour-propre de la Comtesse, éprise de Théodore, que celui-ci se révèle noble au dénouement.

Plus vraisemblable encore est **l'influence de Corneille,** que Marivaux admirait (voir p. 22). Tout d'abord, l'exemple de l'Infante du *Cid*, prise entre son amour pour Rodrigue et son honneur de princesse, peut se comparer avec la situation de Silvia éprise d'un valet. Mais ce sont surtout les comédies inspirées du théâtre espagnol et rompant avec le comique de farce, qui, en introduisant le badinage et les jeux d'esprit, ont montré la voie à Marivaux. Lise, dans *l'Illusion comique*, a déjà les reparties piquantes de Lisette. Après une pause de presque un siècle, la préciosité renaît dans ce qu'elle a de plus fin et de plus souriant.

Sources internes. Mais en définitive, c'est surtout en lui-même que Marivaux a trouvé les éléments du *Jeu*, celui-ci apparaissant comme l'accomplissement des œuvres antérieures, comédies et journaux.

— Les **déguisements.** Dans son premier essai, *le Père prudent et équitable*, un valet joue successivement le rôle d'un financier et d'une femme. Dans *la Double Inconstance*, le prince porte les habits d'un « simple officier du palais » lorsqu'il rencontre Silvia. *Le Prince travesti*, sorte de tragi-comédie, comporte deux déguisements. Dans *la Fausse Suivante*, double supercherie : le Chevalier est un travesti qui dissimule, non une suivante, mais une jeune fille de condition. *Le Triomphe de Plutus*, allégorie symbolique, comporte aussi deux déguisements.

— Les **thèmes** de l'amour naissant, de la « chicane » de l'amour avec lui-même, des conflits possibles entre maîtres et valets sont ébauchés dans les pièces antérieures :

Arlequin poli par l'Amour (1720) : une fée veut rendre « sensible » le paysan Arlequin, mais ses leçons ont un effet inattendu, — Arlequin déniaisé aime la bergère Silvia.

La Surprise de l'Amour (1722) : une jeune veuve (la Comtesse) et un jeune homme trompé par sa maîtresse (Lélio) ont juré de ne plus aimer. Mais leur serment est vaincu par une sympathie naissante qu'encouragent Colombine, servante de la Comtesse, et Arlequin, valet de Lélio. Colombine et Arlequin se marient en même temps que leurs maîtres, mais « sans cérémonie ».

Renouvelant son inspiration, Marivaux compose trois pièces « sociales », *l'Ile des esclaves, l'Ile de la raison, la Colonie*. Dans la première (1726), valets et servantes prennent leur revanche et raillent leurs maîtres (cf. *le Jeu*, sc. 1) : Iphicrate et son valet Arlequin, Euphrosine et sa servante Cléanthis, échoués dans l'Ile des Esclaves, échangent leurs conditions ; la spirituelle Cléanthis se moque cruellement de la hautaine et coquette Euphrosine.

Le Jeu de l'Amour et du Hasard (1730), seizième pièce de Marivaux et sa dixième comédie jouée par les Italiens, bénéficie des œuvres antérieures, sans les recommencer. C'est un retour à la comédie amoureuse, mais qui conserve certains traits des pièces « sociales ».

Leurs pères ont décidé de marier Dorante et Silvia, à condition qu'ils se plaisent. Les jeunes gens veulent se connaître avant de s'épouser et prennent la place du valet Arlequin et de la soubrette Lisette. Ainsi, à leur insu, le hasard a rétabli l'égalité des conditions. L'amour, en dépit des différences apparentes de situation, triomphe de l'amour-propre. La comédie se termine par un double mariage, à la joie de M. Orgon, père de Silvia, et de Mario, frère de celle-ci, qui ont favorisé le jeu.

La recherche du bonheur : le cœur, l'usage et la raison

Le ton souriant et l'heureux dénouement ne doivent pas faire oublier l'importance des problèmes soulevés par la pièce :

— L'usage veut que les parents concluent les mariages au mieux des intérêts et des alliances, sans se soucier des sentiments des enfants. De là des unions parfois mal assorties, fondées sur l'indifférence, et jamais « délicieuses », selon le mot de la Rochefoucauld.

Or le père de Dorante et M. Orgon ne veulent pas user de leur autorité (sc. 2) ; ils admettent que l'amour des enfants passe avant la raison des parents.

— La mésalliance est sévèrement condamnée par le monde, malgré l'ascension de la bourgeoisie. Trente ans plus tard, la différence de condition sociale s'interposera entre J.-J. Rousseau et Mme d'Houdetot. Dans *la Nouvelle Héloïse* (1761), la noble Julie ne pourra épouser le roturier Saint-Preux. À l'aube de la Révolution, Bernardin de Saint-Pierre montrera la mère de Paul et celle de Virginie, qui ont transgressé la hiérarchie sociale, obligées de se réfugier sous les tropiques, à l'île de France.

Dorante, lui, consent à épouser Silvia sous les habits d'une soubrette. Silvia aime Dorante dans le rôle de valet. Qu'arriverait-il s'il en était un ? Le cœur est au-dessus des hasards de la naissance et de la fortune.

— La préciosité et le libertinage posent en axiome que le mariage tue l'amour. De là, dans les milieux mondains, ces libertés réciproques du mari et de la femme : « Il semble que tout l'ordre des sentiments naturels soit ici renversé », s'indigne

J.-J. Rousseau. « Le cœur n'y forme aucune chaîne ; il n'est poi[nt] permis aux filles d'en avoir un ; ce droit est réservé aux seule[s] femmes mariées et n'exclut du choix personne que leurs mari[s] (*la Nouvelle Héloïse*, deuxième partie).

Cependant Dorante et Silvia, eux, se déguisent non pour jou[er] la comédie et trouver le plaisir, mais pour fonder une unio[n] durable.

Ainsi *le Jeu de l'Amour et du Hasard* expose les obstacles rée[ls] au bonheur du couple humain et propose des remèdes, qui asso[]‑cient le cœur et la raison pour vaincre le hasard.

6. Présentation au public

Le Jeu de l'Amour et du Hasard, comédie en trois actes et e[n] prose, fut représenté pour la première fois par les « Comédien[s] Italiens ordinaires du Roi » le lundi 23 janvier 1730, date indiqué[e] par le *Registre* de la Compagnie, qui mentionne ensemble *le Je[u] de l'Amour et du Hazard* (sic) et *la Veuve coquette* (Desbou[]‑miers intitule la pièce *Les Jeux de l'Amour et du Hazard*). L[e] succès est très honorable : « Pièce très bonne », note Gueullett[e] « La pièce a été reçue très favorablement du public » reconna[ît] le *Mercure* (janvier 1730), qui précise, dans le numéro d'avri[l] après quelques critiques sur l'invraisemblance de l'erreur com[]‑mise par Silvia sur Arlequin et Dorante : « Au reste, tout le mond[e] convient que la pièce est bien écrite, et pleine d'esprit, de sent[i]‑ment et de délicatesse .» Les recettes de la « première » sont d[e] 977 livres, 10 sols (mais, sur la même scène, *Samson* attei[nt] 1.778 livres). Les dépenses dépassant légèrement 439 livres, [il] reste net, pour l'auteur et les acteurs, 537 livres. La pièce tie[nt] quatorze représentations consécutives (contre 16 ou 21 (?) pou[r] *la Surprise de l'Amour*). Elle est jouée à la Cour le 28 janvie[r] et y est « très goûtée », reprise encore à Versailles, le 10 févri[er] avec *Arlequin Hulla*, puis à Paris devant la duchesse du Main[e] le 21 février. Première édition : avril 1730, à Paris, chez Bria[s]‑son.

Madame de Pompadour
en bergère
Tableau de Van Loo

SCHÉMA DE LA COMÉDIE

ACTE I SC. 1   Silvia confie à sa « coiffeuse » Lisette sa répulsion pour le mariage : plusieurs de ses amies sont malheureuses en ménage ; or, elle ne connaît pas son futur mari, Dorante. Pour Lisette, plus optimiste, « un mari, c'est un mari ».

2   Survient M. Orgon, père de Silvia, qui lui laisse toute liberté d'accepter ou de refuser Dorante. Silvia demande la permission de prendre la place de Lisette, et vice versa, pour examiner son futur. M. Orgon l'accorde : Silvia et Lisette courent se déguiser.

3-4   M. Orgon explique à Mario, frère de Silvia, la comédie qui se prépare : Dorante a eu la même idée que Silvia.

5   Silvia revient, déguisée en soubrette, toute joyeuse et décidée à « subjuguer » la raison de Dorante.

6   Entrée en scène de Dorante, déguisé en valet. Entre lui et Silvia, le badinage galant commence, excité par les taquineries de Mario.

7   Restés seuls, Dorante et Silvia passent du badinage à la « conversation réglée ». Ils s'étonnent naturellement de leur distinction. Sous la curiosité, point l'amour.

8   Entrée en scène burlesque d'Arlequin. Désappointement de Silvia, qui s'en va.

9   Dorante querelle Arlequin pour ses façons de parler « sottes et triviales ».

10   M. Orgon, jouant le jeu, présente ses civilités à Arlequin.

ACTE II SC. 1   Lisette avertit M. Orgon qu'elle a séduit le pseudo-Dorante. Il s'en rit et lui permet le mariage. Mais que pense Silvia de Bourguignon-Dorante ? Il « la regarde et soupire » ; elle « rougit ».

2-3   Arlequin fait la cour à Lisette.

4   Survient Dorante, agacé, qui donne ses consignes à Arlequin.

Les jeux du hasard : le double déguisement

L'amour naissant

L'amour des valets va vite

36

	5	Arlequin et Lisette reprennent leur entretien amoureux et jurent de s'aimer « en dépit de toutes les fautes d'orthographe ».	
	6-7	Survient Silvia, irritée, qui ordonne à Lisette de décourager le pseudo-Dorante. Refus de Lisette, qui accuse Silvia de s'intéresser au pseudo-Bourguignon.	**Conflits de l'amour et de l'amour-propre**
	8	Monologue de Silvia : son indignation à l'idée d'aimer un valet.	
	9	Entretien amoureux de Dorante et de Silvia : Silvia, malgré elle, écoute Dorante avec plaisir et, pour se justifier vis-à-vis d'elle-même, assure qu'elle ne l'aimera jamais.	**Aveu retardé**
	10	Dorante cependant se jette à ses genoux et lui fait une déclaration en forme, avouant presque son déguisement. M. Orgon et Mario qui les surprennent taquinent Silvia. Dorante s'en va.	
	11	Mortifiée dans son amour-propre et à bout de nerfs, Silvia veut quitter son rôle. Elle s'emporte contre Mario et son père. Celui-ci, toujours souriant, lui conseille de continuer le jeu.	
	12	Retour de Dorante, qui complète l'aveu commencé. Transportée de joie, Silvia conserve cependant son rôle de soubrette, pour triompher tout à fait de Dorante.	**Joie de Silvia après l'angoisse**
	13	Avec une vivacité joyeuse, elle invite Mario à exciter la jalousie de Dorante, en feignant de l'aimer.	
ACTE III SC.	1	Dorante permet à Arlequin d'épouser la pseudo-Silvia, à condition qu'il lui révèle son état de valet.	
	2	Mario déclare à Dorante qu'il aime Silvia.	
	3	Survient Silvia : Dorante lui fait la cour devant Mario, qui feint la jalousie.	
	4	Mario, M. Orgon et Silvia commentent la situation. Silvia, au comble de la joie, remercie son père d'avoir fondé son bonheur.	
	5	Lisette demande la permission d'épouser le pseudo-Dorante.	

6 Lisette et Arlequin s'avouent leur condition de soubrette et de valet : rien ne changera leur amour.

Lisette et Arlequin se démasquent

7 Arlequin annonce à Dorante qu'il va épouser « la fille d'Orgon ».

8 Dorante, jaloux de Mario, est sur le point de s'en aller. Désespoir de Silvia. Retour de Dorante : duo de tendresse.

Dernière escarmouche

9 Silvia se démasque : les deux couples se marient avec joie.

L'heureux dénouement.

	I Le hasard fait le jeu	**II** Amour et amour-propre en conflit	**III** Amour et amour-propre réconciliés
Silvia	Rebelle au mariage, mais aimant jouer avec l'amour.	S'éprend de Dorante alors qu'il n'est que Bourguignon.	De la vanité satisfaite à la tendresse.
Dorante	Le coup de foudre.	Assez généreux pour épouser une soubrette.	L'amour victorieux de l'amour-propre et de la jalousie.
Lisette	La gaieté spirituelle.	Accord immédiat sous le déguisement.	Vers un bonheur sans complications.
Arlequin	La gaieté bouffonne.		

M. Orgon et Mario } Meneurs de jeu prêts à corriger le hasard et à protéger l'amour.

Mademoiselle Silvia
(Zanetta Benozzi)
par Van Loo

« *Je l'ai trouvée au-dessus de tout ce qu'on disait...* » (voir p. 29-30)

DISTRIBUTION

LES PERSONNAGES	LES ACTEURS
M. ORGON[1], vieux gentilhomme.	
MARIO, fils de M. Orgon.	*Baletti*, dit « Mario » (?).
SILVIA, sa fille.	*Zanetta Baletti*, dite « Silvia ».
DORANTE, amant de Silvia.	*Baletti*, dit « Mario[2] » (?). *Fabio Sticoti* (?). *Romagnesi* (?).
LISETTE, femme de chambre de Silvia.	*Violette* (?), femme de Thomassin.
ARLEQUIN[3], valet de Dorante.	*Vicentini*, dit « Thomassin ».
UN LAQUAIS.	

La scène est à Paris, dans la maison de M. Orgon.

---

1. Les noms d'Orgon, de Dorante et de Lisette appartiennent au répertoire français.
Ceux de Mario, Silvia et Arlequin à la Comédie-Italienne. — 2. Le rôle de Dorante ne
put être tenu par Luigi Riccoboni (dit Lélio), qui avait quitté la troupe. Depuis sa démission (1729), le mari de Silvia (l'ancien Mario) jouait les « premiers amoureux » (voir
le témoignage de Gueullette, p. 28). — Cependant, MM. Xavier de Courville et Deloffre pensent que le rôle de Mario ne put être tenu que par Baletti, *dit Mario.* Dans ce cas
celui de Dorante aurait pu être tenu par Fabio Sticoti ou par Romagnesi. — 3. Lorsque
le *Jeu* passera à la Comédie-Française (1796), Arlequin troquera son costume italien pour
la livrée à la française, et son nom pour celui de Pasquin.

LE JEU[1] DE L'AMOUR
ET DU HASARD

COMÉDIE EN TROIS ACTES ET EN PROSE
REPRÉSENTÉE POUR LA PREMIÈRE FOIS
PAR LES COMÉDIENS ITALIENS ORDINAIRES DU ROI
LE LUNDI 23 JANVIER 1730.

ACTE PREMIER

SCÈNE PREMIÈRE. — SILVIA, LISETTE.

SILVIA. — Mais, encore une fois, de quoi vous mêlez-vous? Pourquoi répondre de mes sentiments[2]?

LISETTE. — C'est que j'ai cru que, dans cette occasion-là, vos sentiments ressembleraient à ceux de tout le monde. Monsieur votre père[3] me demande si vous êtes bien aise qu'il vous marie, si vous en avez quelque joie : moi, je lui réponds que oui ; cela va tout de suite ; et il n'y a peut-être que vous de fille au monde, pour qui ce *oui*-là ne soit pas vrai ; le *non* n'est pas naturel[4].

SILVIA. — Le *non* n'est pas naturel! quelle sotte naïveté! Le mariage aurait donc de grands charmes[5] pour vous?

LISETTE. — Eh bien, c'est encore *oui*[6], par exemple![7]

SILVIA. — Taisez-vous ; allez répandre vos impertinences[8] ailleurs, et sachez que ce n'est pas à vous à[9] juger de mon cœur par le vôtre.

LISETTE. — Mon cœur est fait comme celui de tout le monde. De quoi le vôtre s'avise-t-il de n'être fait comme celui de personne[10]?

---

1. Sur le sens du mot, voir plus haut, p. 31. — 2. La dispute amicale entre Silvia et Lisette a commencé avant le lever du rideau ; l'interrogation souligne la vivacité du dialogue (cf. *la Seconde Surprise de l'Amour*). — 3. Lisette est une soubrette bien stylée. Elle ne dirait pas comme Dorine : « Mais quoi? si votre père est un bourru fieffé » *(Tartuffe*, II, 3, v. 627). De Molière à Marivaux, la comédie s'est élevée d'un degré dans l'échelle sociale. La question de M. Orgon prouve l'affection du père et sa délicatesse. Il est naturel que Silvia soit plus libre pour parler mariage avec Lisette qu'avec son père. C'est déjà un trait de caractère préparant l'entrée en scène de M. Orgon. — 4. Dès les premiers mots, le sujet de la pièce est posé. *La Surprise de l'Amour* (1722) débute par une discussion analogue, mais entre paysans : « PIERRE — Est-ce que toutes les filles n'aimont pas à devenir la femme d'un homme? JACQUELINE — Tredame! c'est donc un oisiau bien rare qu'un homme pour en être si envieuse ? ». — 5. Une grande attirance. — 6. Les personnages de Marivaux aiment jouer avec les mots, en les reprenant et en les renvoyant comme une balle. — 7. Tour familier, confirmant l'affirmation : assurément, pardi! — 8. Non pas : insolences ; mais : sottises, inconvenances (cf. *la Surprise de l'Amour*, III, 2 : « LA COMTESSE — Non, d'aujourd'hui, vous ne m'avez répondu que des impertinences »). — 9. Au XVIIIᵉ siècle, on ne distinguait pas *c'est à moi à juger* (c'est à mon tour de) et *c'est à moi de juger* (il m'appartient de). — 10. Noter l'opposition : *tout le monde — personne*. L'antithèse n'est pas seulement une figure de rhétorique, mais un tour spirituel du dialogue.

SILVIA. — Je vous dis que, si elle osait, elle m'appellerait une originale.

LISETTE. — Si j'étais votre égale, nous verrions[1].

SILVIA. — Vous travaillez à me fâcher, Lisette[2].

LISETTE. — Ce n'est pas mon dessein. Mais dans le fond, voyons, quel [20]
mal ai-je fait de dire à monsieur Orgon que vous étiez bien aise
d'être mariée ?

SILVIA. — Premièrement, c'est que tu[3] n'as pas dit vrai ; je ne m'en-
nuie pas d'être fille.

LISETTE. — Cela est encore tout neuf. [25]

SILVIA. — C'est qu'il n'est pas nécessaire que mon père croie me
faire tant de plaisir en me mariant, parce que cela le fait agir
avec une confiance qui ne servira peut-être de rien[4].

LISETTE. — Quoi ! vous n'épouserez pas celui qu'il vous destine[5] ?

SILVIA. — Que sais-je ? peut-être ne me conviendra-t-il point, et cela [30]
m'inquiète[6].

LISETTE. — On dit que votre futur est un des plus honnêtes hommes
du monde ; qu'il est bien fait, aimable, de bonne mine ; qu'on
ne peut pas avoir plus d'esprit ; qu'on ne saurait être d'un meilleur
caractère ; que voulez-vous de plus ? Peut-on se figurer de mariage [35]
plus doux, d'union plus délicieuse ?

SILVIA. — Délicieuse ! que tu es folle, avec tes expressions[7] !

LISETTE. — Ma foi, Madame, c'est qu'il est heureux qu'un amant[8]
de cette espèce-là veuille se marier dans les formes ; il n'y a presque point de fille, s'il lui faisait la cour, qui ne fût en danger de [40]
l'épouser sans cérémonie. Aimable, bien fait, voilà de quoi vivre
pour l'amour[9] ; sociable[10] et spirituel, voilà pour l'entretien de la
société. Pardi ! tout en sera bon, dans cet homme-là ; l'utile et
l'agréable, tout s'y trouve.

SILVIA. — Oui, dans le portrait que tu en fais, et on dit qu'il y res- [45]
semble, mais c'est un *on dit*, et je pourrais bien n'être pas de ce
sentiment-là, moi. Il est bel homme, dit-on, et c'est presque
tant pis.

---

1. Taquinerie amicale, et non revendication sociale. Cléanthis *(L'Ile des Esclaves)* est
beaucoup plus violente : « Voilà de nos gens qui nous méprisent dans le monde, qui font
les fiers, qui nous maltraitent, et qui nous regardent comme des vers de terre ; et puis,
qui sont trop heureux dans l'occasion de nous trouver cent fois plus honnêtes gens
qu'eux » (sc. 10). — 2. Mouvement fréquent chez Marivaux. Cf. *la Surprise de l'Amour*
(III, 2) : « LA COMTESSE — Vous êtes faite aujourd'hui pour m'impatienter. COLOMBINE
— Ce n'est pas mon intention. » — 3. L'irritation de Silvia, toute superficielle, s'apaise.
Elle reprend le tutoiement familier. — 4. A rien ; tour habituel au XVIIIe siècle. — 5.
Trait de caractère. Lisette, pleine de bon sens, est suffoquée à l'idée du refus possible de
Silvia. — 6. Indication importante : l'inquiétude de Silvia explique son irritation injus-
tifiée contre Lisette et prépare des confidences plus détaillées. — 7. Le mot *délicieux*, évo-
quant les plaisirs des sens, choque la pudeur de Silvia. — 8. Prétendant. — 9. Voilà les
qualités qui font vivre l'amour. — 10. Le sens de l'adjectif est précisé par la fin de la
phrase.

LISETTE. — Tant pis! tant pis! mais voilà une pensée bien hétéroclite[1]!

SILVIA. — C'est une pensée de très bon sens. Volontiers un bel homme 50
est fat[2]; je l'ai remarqué.

LISETTE. — Oh! il a tort d'être fat, mais il a raison d'être beau.

SILVIA. — On ajoute qu'il est bien fait; passe[3]!

LISETTE. — Oui-dà; cela est pardonnable. 55

SILVIA. — De beauté et de bonne mine, je l'en dispense; ce sont là
des agréments superflus.

LISETTE. — Vertuchoux[4]! si je me marie jamais, ce superflu-là sera
mon nécessaire.

---

1. Bizarre. Marivaux aime placer ce mot dans la bouche des soubrettes. Cf. *la Surprise de l'Amour*, sc. 7 : « COLOMBINE — Décochez-lui moi quelque trait bien hétéroclite, qui sente bien l'original ». Ce néologisme avait déjà été employé par Regnard et Dancourt; il vient de la terminologie grammaticale et médicale : ce qui est irrégulier. — 2. Les héroïnes de Marivaux se plaignent de la fatuité des hommes. Cf. la Comtesse de *la Surprise...* (sc. 7) : « Vous demandez ce que votre espèce a de comique, qui, pour se mettre à son aise, a eu besoin de se réserver un privilège d'indiscrétion, d'impertinence et de fatuité; qui suffoquerait si elle n'était babillarde, si sa misérable vanité n'avait pas ses coudées franches... » — 3. Mouvement satirique qu'on trouve déjà chez Regnard (*Le Retour imprévu*, sc. 2) : « LISETTE — Une fille jeune, belle et bien faite! MERLIN — Il n'y a pas là de quoi rassurer. LISETTE — Une fille aisée à vivre... » — 4. Atténuation de « Vertu Dieu! ». Juron favori des Colombine dans le recueil de pièces italiennes de Gherardi (p. ex. dans *la Fille de bon sens*, III, 1). Le mot est cocasse par lui-même.

■■

● **L'action** — L'esquisse du portrait de Dorante (l. 32-36), au physique et au moral, prépare son entrée en scène et explique d'avance la surprise de Silvia devant un valet si distingué. Dorante est *un des plus honnêtes hommes du monde*. En 1730, le jugement porté par le chevalier de Méré (*Discours de la vraie honnêteté*) est toujours valable : « Je ne comprends rien sous le ciel au-dessus de l'honnêteté : c'est la quintessence de toutes les vertus. »

● **Les thèses** — La préciosité, au siècle précédent, avait pris comme axiome sentimental que le mariage tue l'amour. D'où la maxime désabusée de La Rochefoucauld : « Il y a de bons mariages, mais il n'y en a point de délicieux. » (*Maximes*, 113.) Après Marivaux, Nivelle de La Chaussée défendra le mariage dans le *Préjugé à la mode* (1735). Mais, dans plusieurs ouvrages, Marivaux proteste contre les mariages imposés par les parents (usage encore courant au XVIIIe siècle) et contre les prérogatives masculines : « On me maria à dix-huit ans, je dis qu'on me maria, car je n'eus point de part à cela; mon père et ma mère me promirent à mon mari, que je ne connaissais pas; mon mari me prit sans me connaître et nous n'avons pas fait d'autre connaissance ensemble que celle de nous trouver mariés et d'aller notre train sans nous demander ce que nous pensions, de sorte que j'aurais dit volontiers : quel est cet étranger dont je suis devenue la femme? » (*Le Spectateur français.*) Dans *la Colonie* (sc. 5), les femmes vont même jusqu'à abolir le mariage, « pure servitude ».

① Relevez les traits qui dénotent, chez Silvia, la crainte du mariage et du mari.

② Comparez le dialogue de Silvia et de Lisette à celui d'Henriette et d'Armande dans *les Femmes savantes* (I, 1). Quels sont les points communs?

■■

SILVIA. — Tu ne sais ce que tu dis. Dans le mariage, on a plus sou-vent affaire à l'homme raisonnable qu'à l'aimable homme[1], en un mot, je ne lui demande qu'un bon caractère[2], et cela est plus difficile à trouver qu'on ne pense. On loue beaucoup le sien ; mais qui est-ce qui a vécu avec lui[3] ? Les hommes ne se contrefont-ils[4] pas, surtout quand ils ont de l'esprit[5] ? N'en ai-je pas vu, moi, qui paraissaient avec leurs amis les meilleures gens du monde ? C'est la douceur, la raison, l'enjouement même, il n'y a pas jusqu'à leur physionomie qui ne soit garante de toutes les bonnes qualités qu'on leur trouve. Monsieur un tel a l'air d'un galant homme[6], d'un homme bien raisonnable, disait-on tous les jours d'Ergaste. — Aussi l'est-il, répondait-on ; je l'ai répondu moi-même ; sa physionomie ne vous ment pas d'un mot. Oui, fiez-vous-y[7] à cette physionomie si douce, si prévenante, qui disparaît un quart d'heure après, pour faire place à un visage sombre, brutal[8], farouche, qui devient l'effroi de toute une maison ! Ergaste s'est marié ; sa femme, ses enfants, son domestique[9], ne lui connaissent encore que ce visage-là, pendant qu'il promène partout ailleurs cette physionomie si aimable que nous lui voyons, et qui n'est qu'un masque[10] qu'il prend au sortir de chez lui[11]. 60 65 70 75

LISETTE. — Quel fantasque[12] avec ses deux visages !

SILVIA. — N'est-on pas content de Léandre quand on le voit ? Eh bien, chez lui, c'est un homme qui ne dit mot, qui ne rit ni qui ne gronde[13], c'est une âme glacée, solitaire, inaccessible. Sa femme ne la connaît point, n'a point de commerce[14] avec elle ; elle n'est mariée qu'avec une figure[15] qui sort d'un cabinet[16], qui vient à table et qui fait expirer de langueur, de froid et d'ennui, tout ce qui l'environne. N'est-ce pas là un mari bien amusant ? 80 85

---

1. Le *chiasme* rapproche à dessein les deux qualités opposées : *raisonnable — aimable*. — 2. Silvia est-elle sincère, en ne demandant qu'*un bon caractère ? —* 3. Remarque pleine de bon sens. Il ne s'agit pas d'un plaisir passager, mais de toute « une vie commune de levers, de repas et de repos » (Giraudoux). — 4. Ne se donnent-ils pas pour ce qu'ils ne sont pas ? Cf. Gresset, *le Méchant*, I, 4 : « Par malheur, je n'ai point l'art de me contre-faire ». — 5. De l'intelligence. — 6. Le *galant homme* a, en plus de la raison, l'enjouement et l'art de plaire. C'est un « honnête homme » plus aimable. — 7. Tournure familière et ironique : Ne vous y fiez pas. — 8. Grossier et violent. — 9. Singulier collectif : l'ensemble des gens à son service. — 10. Au XVIIe siècle, les dames nobles portaient un masque pour sortir en ville. Au XVIIIe siècle, on met souvent un masque pour aller au bal. — 11. Mari-vaux aime faire des portraits (cf. *le Spectateur français*, *la Vie de Marianne*). Sa comédie *les Sincères* (1739) sera une succession de portraits. Mais l'Ergaste des *Sincères*, lui, dit toujours la vérité... ce qui ne lui fait pas trouver le bonheur en amour. — 12. Adjectif employé ici comme nom : « Il y a des nuances entre avoir des fantaisies et être fantasque : le fantasque approche beaucoup plus du bizarre. » (Voltaire, *Dictionnaire philosophique*, cité par Littré.) — 13. Tour habituel aux XVIIe et XVIIIe siècles. On dirait aujourd'hui : *ni ne gronde*. — 14. Relations, échanges. Voir Molière, *le Misanthrope*, V, 1 : « Et je me veux tirer du commerce des hommes. » — 15. Un corps inanimé. Cf. Molière, *le Mariage forcé*, sc. 4 : « Il faut dire la figure d'un chapeau, et non pas la forme. » Léandre est une véritable statue. — 16. La pièce la plus retirée d'un appartement : elle sert « à travailler ou converser en particulier » *(Dict. de l'Acad.,* 1694).

LISETTE. — Je gèle au récit que vous m'en faites ; mais Tersandre, par exemple ?

SILVIA. — Oui, Tersandre ! Il venait l'autre jour de s'emporter contre sa femme ; j'arrive, on m'annonce, je vois un homme qui vient à [90] moi les bras ouverts, d'un air serein, dégagé ; vous auriez dit qu'il sortait de la conversation la plus badine ; sa bouche et ses yeux riaient encore. Le fourbe ! Voilà ce que c'est que les hommes. Qui est-ce qui croit que sa femme est à plaindre avec lui ? Je la trouvai tout abattue, le teint plombé[1], avec des yeux qui venaient [95] de pleurer ; je la trouvai comme je serai peut-être ; voilà mon portrait à venir ; je vais du moins risquer d'en être une copie. Elle me fit pitié, Lisette ; si j'allais te faire pitié aussi ! Cela est terrible ! qu'en dis-tu ? Songe à ce que c'est qu'un mari.

LISETTE. — Un mari, c'est un mari ; vous ne deviez pas finir par ce [100] mot-là ; il me raccommode avec tout le reste.

---

1. Noter ce détail réaliste : l'élégance du langage ne doit pas faire oublier que les personnages ont un corps.

- **L'action** ① Étudiez, dans cette scène d'exposition, la structure, le mouvement, la présentation des personnages.
- **Les caractères** — Notez l'opposition entre le caractère simple et gai de Lisette et le caractère complexe de Silvia (hauteur, sagesse, inquiétude, naïveté malgré ses prétentions à connaître la vie de ménage).
- **Les mœurs** — La mode des portraits, lancée par Madeleine de Scudéry (voir *le Misanthrope*, Bordas, p. 57), exploitée par La Bruyère dans ses *Caractères*, durait encore en 1730. On observera la variété des portraits figurant dans cette scène :
  — DORANTE : quelques traits essentiels esquissés par Lisette, une silhouette (l. 32-36).
  — LE MARI en général : l. 52-57.
  — ERGASTE, l'homme aux deux visages, le tyran domestique : l. 68-78.
  — LÉANDRE, l'indifférent, *une âme glacée* : l. 80-87.
  — TERSANDRE, le *fourbe* : l. 89-99. La description se transforme en scène. Ce n'est plus un « on-dit », mais une aventure réelle et arrivée à Silvia elle-même. De là sa crainte.
  ② Que pensez-vous de la remarque suivante de Marivaux : « Quand je dis que je vais vous faire le portrait de ces deux dames, j'entends que je vous en donnerai quelques traits. On ne saurait rendre en entier ce que sont les personnes. »
  ③ Comparez ces portraits avec ceux que fait Célimène dans *le Misanthrope* (II, 5). L'esprit de Silvia est-il le même que celui de Célimène ?
  ④ Les portraits de la scène 1 justifient-ils le surnom de *Théophraste moderne* donné à Marivaux par *le Mercure* ? Marivaux est-il plus proche de La Bruyère que de Molière ?

---

① Les chiffres encerclés marquent les questions, les exercices, les sujets de dissertation.

Scène II. — MONSIEUR ORGON, SILVIA, LISETTE.

MONSIEUR ORGON. — Eh! bonjour, ma fille; la nouvelle que je viens t'annoncer te fera-t-elle plaisir? Ton prétendu[1] arrive aujourd'hui; son père me l'apprend par cette lettre-ci. Tu ne me réponds rien; tu me parais triste. Lisette de son côté baisse les yeux[2]; qu'est-ce que cela signifie? Parle donc, toi; de quoi s'agit-il?

LISETTE. — Monsieur, un visage qui fait trembler, un autre qui fait mourir de froid, une âme gelée qui se tient à l'écart; et puis le portrait d'une femme qui a le visage abattu, un teint plombé, des yeux bouffis et qui viennent de pleurer; voilà, Monsieur, tout ce que nous considérons avec tant de recueillement[3].

MONSIEUR ORGON. — Que veut dire ce galimatias[4]? Une âme! un portrait! Explique-toi donc; je n'y entends[5] rien.

SILVIA. — C'est que j'entretenais Lisette du malheur d'une femme maltraitée par son mari; je lui citais celle de Tersandre, que je trouvai l'autre jour fort abattue, parce que son mari venait de la quereller[6], et je faisais là-dessus mes réflexions[7].

LISETTE. — Oui, nous parlions d'une physionomie qui va et qui vient; nous disions qu'un mari porte un masque avec le monde, et une grimace[8] avec sa femme.

MONSIEUR ORGON. — De tout cela[9], ma fille, je comprends que le mariage t'alarme, d'autant plus que tu ne connais point Dorante.

LISETTE. — Premièrement, il est beau; et c'est presque tant pis.

MONSIEUR ORGON. — Tant pis! rêves-tu, avec ton *tant pis?*

LISETTE. — Moi, je dis ce qu'on m'apprend; c'est la doctrine de Madame[10], j'étudie sous elle[11].

MONSIEUR ORGON. — Allons, allons, il n'est pas question de tout cela. Tiens, ma chère enfant, tu sais combien je t'aime. Dorante vient pour t'épouser. Dans le dernier voyage que je fis en province, j'arrêtai ce mariage-là avec son père, qui est mon intime et ancien

---

1. Fiancé. — 2. Indications importantes pour les jeux de scène. Lisette imite l'attitude pensive de Silvia en l'exagérant. — 3. Le mot *recueillement* reprend l'expression de M. Orgon (l. 105) : *baisse les yeux*, et l'explique. — 4. Discours embrouillé et confus. — 5. Sens classique : comprends. — 6. Disputer sans motif. — 7. Mot caractéristique : Marivaux moraliste prête à Silvia, comme à Mariane, sa perspicacité psychologique. — 8. *Grimace* évoque la dissimulation (cf. Molière, *Tartuffe*, V, 1 : « Sous le pompeux éclat d'une austère grimace »), mais aussi la malveillance. Noter le rapprochement de sons : *masque, grimace*. Lisette, encouragée par le sourire amusé de M. Orgon, a accentué sa charge. — 9. D'après tout cela. M. Orgon, père affectueux et clairvoyant, n'a aucune peine à découvrir les motifs de l'inquiétude de sa fille, mais il va être surpris par l'interruption ironique de Lisette : *c'est presque tant pis*, parce que la beauté du fiancé lui semble une raison importante. — 10. *Doctrine* : le mot convient bien au ton sentencieux qu'avait pris Silvia. — *Madame* s'applique aussi bien aux filles qu'aux femmes des bourgeois, selon le *Dict. de l'Acad.* (1694). — 11. Sous sa direction.

ami ; mais ce fut à condition que vous vous plairiez à tous deux[1], et que vous auriez entière liberté de vous expliquer là-dessus ; je te défends toute complaisance à mon égard. Si Dorante ne te convient point, tu n'as qu'à le dire, il repart ; si tu ne lui convenais[2] pas, il repart de même. 135

LISETTE. — Un *duo* de tendresse en décidera, comme à l'Opéra[3] : Vous me voulez, je vous veux ; vite un notaire ! ou bien : M'aimez-vous ? non ; ni moi non plus ; vite à cheval !

MONSIEUR ORGON. — Pour moi, je n'ai jamais vu Dorante[4] ; il était 140 absent quand j'étais chez son père ; mais sur tout[5] le bien qu'on m'en a dit, je ne saurais craindre que vous vous remerciiez[6] ni l'un ni l'autre.

SILVIA. — Je suis pénétrée de vos bontés, mon père. Vous me défendez toute complaisance, et je vous obéirai. 145

MONSIEUR ORGON. — Je te l'ordonne.

SILVIA. — Mais si j'osais, je vous proposerais, sur une idée qui me vient, de m'accorder une grâce qui me tranquilliserait tout à fait[7].

MONSIEUR ORGON. — Parle ; si la chose est faisable, je te l'accorde. 150

SILVIA. — Elle est très faisable ; mais je crains que ce ne soit abuser de vos bontés.

MONSIEUR ORGON. — Eh bien, abuse. Va ! dans ce monde, il faut être un peu trop bon pour l'être assez[8].

LISETTE. — Il n'y a que le meilleur de tous les hommes qui puisse dire 155 cela.

MONSIEUR ORGON. — Explique-toi, ma fille.

SILVIA. — Dorante arrive ici aujourd'hui ; si je pouvais le voir, l'examiner un peu sans qu'il me connût ! Lisette a de l'esprit[9], Monsieur ; elle pourrait prendre ma place pour un peu de temps, et je 160 prendrais la sienne.

MONSIEUR ORGON, *à part.* — Son idée est plaisante[10]. *(Haut)*. Laisse-moi rêver[11] un peu à ce que tu me dis là. *(A part.)* Si je la laisse faire, il doit arriver quelque chose de bien singulier[12]. Elle ne s'y

---

1. Que vous vous plaisiez tous deux. — 2. Remarquer la nuance entre le présent *ne te convient point* et l'imparfait de condition *si tu ne lui convenais pas.* M. Orgon a confiance dans la beauté de Silvia, et il considère comme peu probable qu'elle ne plaise pas à Dorante. — 3. Marivaux se moque des intrigues simplistes des opéras, où le scénario est seulement prétexte à des chants. — 4. Indication importante. Elle renforce Silvia dans son idée de connaître Dorante sans qu'il le sache. — 5. D'après tout... — 6. Que vous vous congédiez réciproquement. Le mot *remercier* était moins brutal que *renvoyer.* L'emploi du verbe comme pronominal à sens réciproque est une innovation de Marivaux. — 7. Silvia a toute confiance en son père ; mais, en personne bien élevée, elle reste très respectueuse. — 8. Voir *les Caractères*, p. 49. — 9. Lisette est intelligente et spirituelle : elle vient de le montrer. — 10. Amusante, et non pas ridicule comme à la scène 8 (l. 465). — 11. « Penser, méditer profondément sur quelque chose » (*Dict. de l'Acad.*, 1694). — 12. Unique en son genre. Marivaux aime beaucoup ce mot, qui exprime sa recherche de la nuance originale. En fait, le déguisement est un stratagème de théâtre employé de tout temps (voir p. 31). La réflexion de M. Orgon est utile à l'intrigue : elle attire l'attention du public sur le jeu qui va s'engager.

attend pas elle-même... *(Haut.)* Soit, ma fille, je te permets le
déguisement. Es-tu bien sûr de soutenir le tien, Lisette ? 165

LISETTE. — Moi, Monsieur, vous savez qui je suis ; essayez de m'en
conter, et manquez de respect, si vous l'osez, à cette contenance-
ci. Voilà un échantillon des bons airs avec lesquels je vous attends.
Qu'en dites-vous ? hein ? retrouvez-vous Lisette[1] ?

MONSIEUR ORGON. — Comment donc ! Je m'y trompe actuellement 170
moi-même. Mais il n'y a point de temps à perdre ; va t'ajuster
suivant ton rôle. Dorante peut nous surprendre. Hâtez-vous, et
qu'on donne le mot à toute la maison.

SILVIA. — Il ne me faut presque qu'un tablier.

LISETTE. — Et moi, je vais à ma toilette ; venez m'y coiffer, Lisette, 175
pour vous accoutumer à vos fonctions ; un peu d'attention à votre
service, s'il vous plaît.

SILVIA. — Vous serez contente, marquise ; marchons !

SCÈNE III. — MARIO, MONSIEUR ORGON, SILVIA.

MARIO. — Ma sœur, je te félicite de la nouvelle que j'apprends : nous
allons voir ton amant[2], dit-on. 180

SILVIA. — Oui, mon frère ; mais je n'ai pas le temps de m'arrêter ;
j'ai des affaires sérieuses, et mon père vous les dira ; je vous
quitte.

SCÈNE IV. — MONSIEUR ORGON, MARIO.

MONSIEUR ORGON. — Ne l'amusez pas[3], Mario ; venez, vous saurez de
quoi il s'agit. 185

MARIO. — Qu'y a-t-il de nouveau, Monsieur ?

MONSIEUR ORGON. — Je commence par vous recommander d'être
discret sur ce que je vais vous dire, au moins.

MARIO. — Je suivrai vos ordres.

MONSIEUR ORGON. — Nous verrons Dorante aujourd'hui ; mais nous 190
ne le verrons que déguisé.

MARIO. — Déguisé ! Viendra-t-il en partie de masque[4] ? lui donnerez-
vous le bal ?

---

1. Jeu de scène : Lisette prend l'air hautain d'une marquise. — 2. Ton prétendant : les
rapports entre le frère et la sœur sont aussi affectueux qu'entre le père et la fille. — 3. Ne
la retardez pas. — 4. Au bal masqué, un des divertissements les plus goûtés de la société.

MONSIEUR ORGON. — Écoutez l'article[1] de la lettre du père : Hum... « Je ne sais au reste ce que vous penserez d'une imagination[2] qui est venue à mon fils : elle est bizarre, il en convient lui-même ; mais le motif est pardonnable et même délicat[3] ; c'est qu'il m'a prié de lui permettre de n'arriver d'abord chez vous que sous la figure de son valet, qui, de son côté, fera le personnage de son maître. » 195

MARIO. — Ah! ah! cela sera plaisant. 200

---

1. Le passage. — 2. Une invention (sens légèrement péjoratif). L'emploi du mot abstrait dans le sens concret (chose imaginée) est fréquent chez Marivaux ; il était admis dans ce cas par le *Dict. de l'Acad.* — 3. Le père de Dorante est embarrassé : il trouve l'idée de son fils un peu extravagante, mais il l'excuse parce qu'elle dénote la volonté de concilier le cœur et la raison.

● **Les caractères** — A la scène 3 (1. 181), SILVIA ne prend même pas le temps de répondre à son frère. Elle a retrouvé son entrain : elle est joyeuse de mener le *jeu*, et plus simplement de se costumer. Sa sortie rapide est d'ailleurs nécessaire à l'action : M. Orgon pourra ainsi informer Mario... et le public du double déguisement.
Il faut être un peu trop bon pour l'être assez. Le caractère de M. ORGON se montre tout entier dans cette maxime (1. 152), qui fut celle de Marivaux. D'Alembert le rappelle à propos d'une aumône que fit Marivaux à un jeune mendiant, qui n'avait que la paresse pour excuse : « Aussi disait-il [Marivaux] que, *pour être assez bon, il fallait l'être trop.* La morale rigoureuse peut condamner cette maxime, mais l'humanité doit absoudre ceux qui la pratiquent » *(Éloge de Marivaux).*

● **Le comique** — Au début de la scène 2 (l. 108-112), Lisette parodie les portraits faits par Silvia. L'effet comique résulte de l'accumulation des traits et de la mimique (que vous imaginerez) : les comédiens italiens excellaient dans la mimique.
— A la ligne 113, M. Orgon traite de *galimatias* la réplique de Lisette. Dans les comédies de Marivaux, les personnages raillent volontiers le style de leur partenaire, quand il s'éloigne de la clarté et du naturel. A la scène 1, par exemple (l. 37), Silvia avait ainsi repris Lisette : « Délicieuse! que tu es folle, avec tes expressions! »

① Relevez les jeux de physionomie de Lisette depuis le début de la pièce.

② Quelle impression fait M. Orgon dès ses premières paroles ?

③ Comparez M. Orgon du *Jeu* et Orgon du *Tartuffe*, sous le rapport de l'affection paternelle.

④ Parlant des enfants, Marivaux (le *Spectateur français*, 16e feuille) donne ce conseil : « Ne soyez que leur père et non leur juge et leur tyran. » M. Orgon a-t-il entendu cet avis ?

MONSIEUR ORGON. — Écoutez le reste... : « Mon fils sait combien l'engagement qu'il va prendre est sérieux[1] ; il espère, dit-il, sous ce déguisement de peu de durée, saisir quelques traits du caractère de
notre future[2] et la mieux connaître, pour se régler[3] ensuite sur ce
qu'il doit faire, suivant la liberté que nous sommes convenus de
leur laisser[4]. Pour moi, qui m'en fie bien à ce que vous m'avez dit
de votre aimable fille, j'ai consenti à tout, en prenant la précau-
tion de vous avertir, quoiqu'il m'ait demandé le secret de votre
côté. Vous en userez là-dessus avec la future comme vous le
jugerez à propos... » Voilà ce que le père m'écrit. Ce n'est pas le
tout[5], voici ce qui arrive ; c'est que votre sœur, inquiète de son
côté sur le chapitre[6] de Dorante, dont elle ignore le secret, m'a
demandé de jouer ici la même comédie[7], et cela précisément pour
observer Dorante, comme Dorante veut l'observer. Qu'en dites-
vous ? Savez-vous rien de plus particulier[8] que cela ? Actuellement, la maîtresse et la suivante se travestissent[9]. Que me conseil-
lez-vous, Mario ? Avertirai-je votre sœur, ou non ?

MARIO. — Ma foi, Monsieur, puisque les choses prennent ce train-là, je
ne voudrais pas les déranger, et je respecterais l'idée qui leur est
venue à l'un et à l'autre ; il faudra bien qu'ils se parlent souvent
tous deux sous ce déguisement. Voyons si leur cœur ne les aver-
tirait pas de ce qu'ils valent. Peut-être que Dorante prendra du
goût pour ma sœur, toute soubrette qu'elle sera, et cela serait
charmant pour elle[10].

MONSIEUR ORGON. — Nous verrons un peu comment elle se tirera
d'intrigue[11].

MARIO. — C'est une aventure qui ne saurait manquer de nous divertir. Je veux me trouver au début et les agacer tous deux[12].

Scène V. — SILVIA, MONSIEUR ORGON, MARIO

SILVIA. — Me voilà, Monsieur ; ai-je mauvaise grâce en femme de
chambre ? Et vous, mon frère, vous savez de quoi il s'agit, apparemment. Comment me trouvez-vous ?

---

1. Dorante, comme Silvia, prend la vie au sérieux. Ils sont exigeants et scrupuleux. —
2. Expression familière, qui montre la bonhomie du père. — 3. Se décider. — 4. Les deux
pères sont également libéraux. — 5. Ce n'est pas tout. — 6. Sur le compte. — 7. Le
mot donne le ton de la pièce. C'est un badinage. — 8. M. Orgon souligne l'originalité de
la situation : *singulier*, avait-il dit à la l. 163. — 9. *Se travestir* : prendre les vêtements d'une
condition différente. Il ne s'agit pas, comme dans *la Fausse Suivante*, de déguiser une
jeune fille en garçon. — 10. Le conseil de Mario détermine M. Orgon à laisser faire le
hasard. D'autre part, en supposant l'amour plus fort que l'amour-propre, Mario devance
les espérances de Silvia ; cette préparation les rend moins osées et plus naturelles. Peu à
peu, l'atmosphère romanesque s'établit dans ce cadre réel. — 11. Embarras, difficulté :
« Voilà mon procès jugé ; Dieu merci, je suis hors d'intrigue. » (*Dict.* de Furetière, 1690.) —
12. Le spectateur est prévenu de tous les ressorts de l'intrigue : double déguisement,
connivence du père, feinte jalousie de Mario. L'intérêt de curiosité portera sur l'évolution
des sentiments, non sur les événements.

MARIO. — Ma foi, ma sœur, c'est autant de pris que le valet[1] ; mais tu pourrais bien aussi escamoter Dorante à ta maîtresse.

SILVIA. — Franchement, je ne haïrais pas de lui plaire sous le personnage que je joue ; je ne serais pas fâchée de subjuguer[2] sa raison, de l'étourdir un peu sur la distance qu'il y aura de lui à moi. Si mes charmes font ce coup-là, ils me feront plaisir ; je les estimerai[3]. D'ailleurs, cela m'aiderait à démêler Dorante[4]. A l'égard de son valet, je ne crains pas ses soupirs ; ils n'oseront m'aborder[5] ; il y aura quelque chose dans ma physionomie qui inspirera plus de respect que d'amour à ce faquin-là[6]. ²⁴⁰

MARIO. — Allons, doucement, ma sœur ; ce faquin-là sera votre égal.

MONSIEUR ORGON. — Et ne manquera pas de t'aimer.

SILVIA. — Eh bien, l'honneur de lui plaire ne me sera pas inutile ; les valets sont naturellement indiscrets ; l'amour est babillard[7], ²⁴⁵ et j'en ferai l'historien de son maître.

---

1. Silvia va séduire le valet par dessus le marché : c'est *autant de pris*. — 2. Au sens étymologique : mettre sous le joug. Pourquoi Silvia dit-elle *raison* et non pas *cœur* ? Quelle est la différence ? — 3. C'est ce que souhaitait Mario à la scène précédente. — 4. Connaître les sentiments de Dorante. — 5. Trace de préciosité : les *soupirs* sont personnifiés. — 6. Portefaix et, par extension, homme de rien, vaurien : « terme de mépris et d'injure » (*Dict. de l'Acad.*, 1694). — 7. Les contemporains ont appliqué l'épithète à l'actrice Silvia.

■■

● **L'art des préparations** — La scène 5 annonce (l. 234-238) la coquetterie de Silvia (sc. 6), les compliments galants de Dorante (l. 245), les conflits entre l'amour et l'amour-propre (l. 244).

● **La peinture des caractères** — Observer l'orgueil de caste chez SILVIA : l. 238-241 ; sa coquetterie : l. 235. Marivaux estime que la coquetterie est un trait de la nature féminine, et qu'elle peut se concilier avec la vertu. La jeune Marianne, en mettant des vêtements élégants et neufs, avoue : « Il me prenait des palpitations en songeant combien j'allais être jolie » (*Vie de Marianne*, première partie). Et plus loin : « Si on savait ce qui se passe dans la tête d'une coquette en pareil cas, combien son âme est déliée et pénétrante [...] cela ferait peur, cela humilierait les plus forts esprits ».

● **Les procédés comiques** — Le public s'amuse de l'ignorance de Silvia devant les mots à double sens de M. Orgon et de Mario : le pseudo-valet sera vraiment l'*égal* de Silvia (l. 242). Silvia, si sûre de vaincre, fera sourire par son désarroi presque immédiat aux scènes 6 et 7. Les « soupirs » de Dorante non seulement « l'aborderont » (l. 240) mais la troubleront.

① Comparez l'attitude réciproque de Mario et de Silvia à celle de Damis et de Mariane dans *Tartuffe*.

■■

UN VALET. — Monsieur, il vient d'arriver un domestique qui demande à vous parler ; il est suivi d'un crocheteur[1] qui porte une valise.

MONSIEUR ORGON. — Qu'il entre ; c'est sans doute le valet de Dorante, son maître peut être resté au bureau[2] pour affaires. Où est Lisette ? 250

SILVIA. — Lisette s'habille, et, devant son miroir, nous trouve très imprudents de lui livrer Dorante ; elle aura bientôt fait.

MONSIEUR ORGON. — Doucement! on vient.

SCÈNE VI. — DORANTE *en valet ;* MONSIEUR ORGON, SILVIA, MARIO.

DORANTE. — Je cherche monsieur Orgon ; n'est-ce pas à lui que j'ai l'honneur de faire la révérence[3] ? 255

MONSIEUR ORGON. — Oui, mon ami, c'est à lui-même.

DORANTE. — Monsieur, vous avez sans doute reçu de nos nouvelles ; j'appartiens[4] à monsieur Dorante qui me suit, et qui m'envoie toujours devant, vous assurer de ses respects, en attendant qu'il vous en assure lui-même. 260

MONSIEUR ORGON. — Tu fais ta commission de fort bonne grâce[5]. Lisette, que dis-tu de ce garçon-là ?

SILVIA. — Moi, Monsieur, je dis qu'il est le bienvenu, et qu'il promet.

DORANTE. — Vous avez bien de la bonté ; je fais du mieux qu'il m'est possible. 265

MARIO. — Il n'est pas mal tourné, au moins ; ton cœur n'a qu'à se bien tenir, Lisette.

SILVIA. — Mon cœur! c'est bien des affaires[6].

DORANTE. — Ne vous fâchez pas, Mademoiselle ; ce que dit Monsieur ne m'en fait point accroire[7]. 270

SILVIA. — Cette modestie-là me plaît ; continuez de même.

MARIO. — Fort bien! Mais il me semble que ce nom de Mademoiselle[8] qu'il te donne est bien sérieux. Entre gens comme vous, le style des compliments ne doit pas être si grave ; vous seriez toujours sur le qui-vive ; allons, traitez-vous plus commodément. Tu as 275 nom Lisette ; et toi, mon garçon, comment t'appelles-tu ?

---

1. Portefaix, qui utilise un *crochet* pour porter la valise. — 2. Le bureau des messageries : Dorante a pris une voiture publique. — 3. Est-ce bien une politesse de valet ? — 4. Je fais partie de la maison de... *Appartenir :* « être domestique » (*Dict. de l'Acad.*, 1694). Cette fois, Dorante est mieux dans son rôle. — 5. Marivaux fait souligner l'attitude d'un personnage par son partenaire : le public ne peut qu'acquiescer. — 6. Nous dirions familièrement aujourd'hui : « voilà bien des histoires ». Silvia a beau être prévenue, elle sursaute et montre quelque agacement, comme l'indique la réplique de Dorante : *Ne vous fâchez pas...* 7. Ne me donne aucune vanité. Dorante s'applique à conserver la *modestie* du valet. — 8. *Mademoiselle,* au XVIIe siècle, s'appliquait à toute femme mariée, sans titre de noblesse : *M*lle *Molière* (Armande Béjart, femme de Molière). Au XVIIIe siècle, le sens s'est élargi, mais reste cérémonieux. Un valet ne dit pas « Mademoiselle » à une soubrette. Mario se divertit à rappeler son rôle à Dorante.

DORANTE. — Bourguignon[1], Monsieur, pour vous servir.

SILVIA. — Eh bien, Bourguignon, soit !

DORANTE. — Va donc pour Lisette ; je n'en serai pas moins votre serviteur[2]. 280

MARIO. — Votre serviteur ! ce n'est point encore là votre jargon[3] ; c'est *ton serviteur*[4] qu'il faut dire.

MONSIEUR ORGON. — Ah ! ah ! ah !

SILVIA, *bas à Mario*. — Vous me jouez[5], mon frère.

DORANTE. — A l'égard du tutoiement, j'attends les ordres de Lisette. 285

SILVIA. — Voilà la glace rompue ! Fais comme tu voudras, Bourguignon, puisque cela divertit ces messieurs.

DORANTE. — Je t'en remercie, Lisette, et je réponds sur-le-champ à l'honneur que tu me fais.

MONSIEUR ORGON. — Courage, mes enfants ; si vous commencez à 290 vous aimer[6], vous voilà débarrassés des cérémonies.

MARIO. — Oh ! doucement ; s'aimer, c'est une autre affaire ; vous ne savez peut-être pas que j'en veux au cœur de Lisette, moi qui vous parle. Il est vrai qu'il m'est cruel ; mais je ne veux pas que Bourguignon aille sur mes brisées[7]. 295

SILVIA. — Oui ! le prenez-vous sur ce ton-là ? Et moi, je veux que Bourguignon m'aime.

---

1. Les valets portaient souvent le nom de leur province d'origine. Dorante est-il déguisé en valet français ou en arlequin ? Les deux interprétations se défendent. — 2. « Je suis votre serviteur » est une formule de politesse, qui n'implique aucunement d'être le domestique de quelqu'un. Mais Dorante lui donne son sens plein : le chevalier est au service de sa dame. — 3. Langage incorrect ou particulier. D'Alembert emploie le mot pour critiquer le style de Marivaux : « Ce singulier jargon, tout à la fois précieux et familier. » — 4. Valets et servantes se tutoyaient toujours en effet. — 5. Vous vous moquez de moi. Marivaux emploie les *apartés* pour renseigner le public. — 6. Le mot est plus sincère que ne le croit Silvia : M. Orgon attend avec une certaine anxiété les premières réactions des jeunes gens (cf. Le Baron, dans *On ne badine pas avec l'amour*). — 7. Terme de vénerie passé dans la langue courante : chasse sur un terrain qui m'appartient. Les *brisées* étaient les branches brisées par le cerf, la meute et l'équipage.

● **L'action** — Sitôt Dorante arrivé, M. Orgon est pressé d'engager le jeu. Il demande à Lisette, à sa fille en fait, ce qu'elle pense de *ce garçon-là* (l. 262). Mario suit le mouvement à la ligne 266. Un peu plus loin (l. 292), il cherche à susciter l'amour de Dorante par la jalousie ; et celui-ci relèvera le défi en montrant son esprit, sa galanterie.

● **Le comique** — Par son rire (*ah ! ah ! ah ! ah !* l. 283), M. Orgon donne le ton de la scène : tout le monde s'amuse, mais pour des raisons différentes.
① Que pensez-vous de l'entrée en scène de Dorante ? Joue-t-il bien son rôle ?
② Cette scène, utile pour l'analyse des sentiments, ne retarde-t-elle pas l'action ?
③ Que pensez-vous de cette opinion d'une femme d'esprit du XVIIIe siècle sur Marivaux : « C'est un homme, qui se fatigue et me fatigue moi-même, en me faisant faire cent lieues avec lui sur une feuille de parquet ». La critique n'est-elle pas excessive ?

DORANTE. — Tu te fais tort de dire *je veux*, belle Lisette ; tu n'as pas besoin d'ordonner pour être servie.

MARIO. — Monsieur Bourguignon, vous avez pillé cette galanterie-là [300] quelque part.

DORANTE. — Vous avez raison, Monsieur ; c'est dans ses yeux que je l'ai prise.

MARIO. — Tais-toi, c'est encore pis ; je te défends d'avoir tant d'esprit[1]. [305]

SILVIA. — Il ne l'a pas à vos dépens ; et, s'il en trouve dans mes yeux, il n'a qu'à prendre.

MONSIEUR ORGON. — Mon fils, vous perdrez votre procès ; retirons-nous. Dorante va venir, allons le dire à ma fille ; et vous, Lisette, montrez à ce garçon l'appartement de son maître. Adieu, Bour- [310] guignon.

DORANTE. — Monsieur, vous me faites trop d'honneur.

Scène VII. — SILVIA, DORANTE.

SILVIA, *à part.* — Ils se donnent la comédie ; n'importe, mettons tout à profit, ce garçon-là n'est pas sot, et je ne plains pas la soubrette qui l'aura. Il va m'en conter[2] ; laissons-le dire, pourvu qu'il [315] m'instruise.

DORANTE, *à part.* — Cette fille m'étonne ! Il n'y a point de femme au monde à qui sa physionomie ne fît honneur : faisons connaissance avec elle. *(Haut.)* Puisque nous sommes du style amical et que nous avons abjuré les façons[3], dis-moi, Lisette, ta maîtresse te [320] vaut-elle ? Elle est bien hardie d'oser avoir une femme de chambre comme toi !

SILVIA. — Bourguignon, cette question-là m'annonce que, suivant la coutume, tu arrives avec l'intention de me dire des douceurs : n'est-il pas vrai ? [325]

DORANTE. — Ma foi, je n'étais pas venu dans ce dessein-là, je te l'avoue. Tout valet que je suis, je n'ai jamais eu de grandes liaisons avec les soubrettes ; je n'aime pas l'esprit domestique ; mais, à ton égard, c'est une autre affaire. Comment donc ! tu me soumets ; je suis presque timide ; ma familiarité n'oserait s'apprivoiser[4] avec toi ; [330] j'ai toujours envie d'ôter mon chapeau de dessus ma tête, et quand je te tutoie, il me semble que je joue ! enfin, j'ai un penchant

---

1. Mario fait lui-même l'éloge de son rival supposé. — 2. Me faire la cour. — 3. Renoncé aux façons : le terme est bien solennel pour un traité d'amitié entre valet et soubrette. — 4. Néologisme fréquent chez Marivaux : la personnification d'un mot abstrait *(familiarité)* contraste avec le verbe concret et familier *(s'apprivoiser)*. Racine avait usé de cet emploi, venu du langage précieux, dans ses tragédies :

> « Votre bonté, Madame, avec tranquillité
> Pouvait se reposer sur ma fidélité. »

(Britannicus, v. 1225-26.)

à te traiter avec des respects qui te feraient rire. Quelle espèce de suivante[1] es-tu donc, avec ton air de princesse ?

SILVIA. — Tiens, tout ce que tu dis avoir senti, en me voyant, est précisément l'histoire de tous les valets qui m'ont vue. 335

DORANTE. — Ma foi, je ne serais pas surpris quand ce serait aussi l'histoire de tous les maîtres.

SILVIA. — Le trait est joli assurément[2], mais, je te le répète encore, je ne suis point faite aux cajoleries[3] de ceux dont la garde-robe[4] 340 ressemble à la tienne.

DORANTE. — C'est-à-dire que ma parure ne te plaît pas ?

SILVIA. — Non, Bourguignon ; laissons là l'amour, et soyons bons amis.

DORANTE. — Rien que cela ? Ton petit traité n'est composé que de 345 deux clauses impossibles.

SILVIA, *à part.* — Quel homme pour un valet ! (*Haut.*) Il faut pourtant qu'il[5] s'exécute ; on m'a prédit que je n'épouserais jamais qu'un homme de condition[6], et j'ai juré depuis de n'en écouter jamais d'autres. 350

DORANTE. — Parbleu ! cela est plaisant ; ce que tu as juré pour homme, je l'ai juré pour femme, moi ; j'ai fait serment de n'aimer sérieusement qu'une fille de condition.

---

1. Demoiselle de compagnie : un peu plus qu'une soubrette. — 2. Toujours l'habitude de souligner les mots d'esprit. Il y a là d'ailleurs un compliment qui encourage Dorante à continuer le badinage. — 3. Flatteries. — 4. La livrée de domestique. — 5. *Il* représente le *traité.* — 6. Un noble. Pour interrompre les déclarations de Dorante, Silvia invente cette prédiction, qui, sans qu'elle s'en doute. enflamme d'autant plus Dorante, puisqu'il est « de condition ».

● **Les caractères** — SILVIA est en tête à tête avec Dorante : elle ne peut plus compter sur l'appui de M. Orgon et de Mario, si le pseudo-valet se montre entreprenant.

Les compliments de Dorante la touchent d'autant plus qu'ils s'adressent à une soubrette : c'est par la vanité que la hautaine jeune fille va être *apprivoisée* (terme utilisé par Dorante à la l. 330).

DORANTE oublie bien vite son projet de mariage. Les jeunes gens, chez Marivaux, sont impulsifs et ardents : ainsi Valville *(Vie de Marianne)* s'éprend de Marianne à la première rencontre, puis de la Varthon lorsque celle-ci s'évanouit. Ce caractère inflammable est « fort ordinaire » chez les hommes, selon Marivaux.

L'embarras réciproque des jeunes gens fait sourire. L'intérêt de curiosité est éveillé : Dorante est sur le point de deviner le rang de Silvia. Comment celle-ci va-t-elle déjouer ses soupçons ?

① La scène ne pourrait-elle pas justifier le mot de d'Alembert : « Il y a, dans ses comédies, [...] plus à sourire qu'à s'attendrir » ?

SILVIA. — Ne t'écarte donc pas de ton projet.

DORANTE. — Je ne m'en écarte peut-être pas tant que nous le croyons ; 355
tu as l'air bien distingué, et l'on est quelquefois de condition
sans le savoir.

SILVIA. — Ah! ah! ah! je te remercierais de ton éloge, si ma mère
n'en faisait pas les frais[1].

DORANTE. — Eh bien, venge-t'en sur la mienne, si tu me trouves assez 360
bonne mine pour cela.

SILVIA, *à part*. — Il le mériterait. *(Haut.)* Mais ce n'est pas là de
quoi il est question ; trêve de badinage ; c'est un homme de
condition qui m'est prédit pour époux, et je n'en rabattrai rien[2].

DORANTE. — Parbleu! si j'étais tel, la prédiction me menacerait ; 365
j'aurais peur de la vérifier. Je n'ai point de foi à[3] l'astrologie, mais
j'en ai beaucoup à ton visage.

SILVIA, *à part*. — Il ne tarit point... *(Haut.)* Finiras-tu? que t'importe la prédiction, puisqu'elle t'exclut?

DORANTE. — Elle n'a pas prédit que je ne t'aimerais point.   370

SILVIA. — Non, mais elle a dit que tu n'y gagnerais rien, et moi, je
te le confirme.

DORANTE. — Tu fais fort bien, Lisette, cette fierté-là te va à merveille, et, quoiqu'elle me fasse mon procès[4], je suis pourtant bien
aise de te la voir ; je te l'ai souhaitée d'abord que je t'ai vue ; il 375
te fallait encore cette grâce-là, et je me console d'y perdre, parce
que tu y gagnes.

SILVIA, *à part*. — Mais en vérité, voilà un garçon qui me surprend,
malgré que j'en aie[5]... *(Haut.)* Dis-moi, qui es-tu, toi qui me
parles ainsi?   380

DORANTE. — Le fils d'honnêtes gens qui n'étaient pas riches.

SILVIA. — Va, je te souhaite de bon cœur une meilleure situation que
la tienne, et je voudrais y contribuer ; la fortune a tort avec toi.

DORANTE. — Ma foi, l'amour a plus tort qu'elle[6] ; j'aimerais mieux
qu'il me fût permis de te demander ton cœur, que d'avoir tous les 385
biens du monde.

SILVIA, *à part*. — Nous voilà, grâce au Ciel, en conversation réglée[7].
(Haut.) Bourguignon, je ne saurais me fâcher des discours que
tu me tiens ; mais, je t'en prie, changeons d'entretien. Venons à
ton maître. Tu peux te passer de me parler d'amour, je pense. 390

---

1. Silvia rit de se voir à moitié devinée et réplique lestement, à la manière d'une véritable soubrette. — 2. Le refus de Silvia n'arrête pas le badinage de Dorante. La jeune
fille va se trouver entraînée, malgré elle, à participer au jeu. Elle va oublier peu à peu
son enquête sur le maître du pseudo-Bourguignon. — 3. Confiance en. — 4. La *fierté*
est personnifiée : voir p. 54, n. 4. — 5. En dépit de ma volonté. Cf. Molière, *Critique de
l'École des femmes*, sc. 3 : « *Il faut être de son sentiment, malgré qu'on en ait.* » Silvia avoue
son intérêt involontaire. — 6. Dorante utilise les moindres propos de Silvia pour les
tourner en compliments ou en déclarations d'amour. Noter la reprise de *a tort*, avec la
nuance qu'apporte le comparatif *plus*. Dorante affirme à la fois son désintéressement et
son amour. — 7. Une conversation « qui a un dessein prémédité » (*Dict.* de Furetière,
1690). Dorante ne pense qu'à plaire à Silvia et à lui dire des galanteries.

DORANTE. — Tu pourrais bien te passer[1] de m'en faire sentir, toi.

SILVIA. — Ah! je me fâcherai ; tu m'impatientes. Encore une fois, laisse là ton amour.

DORANTE. — Quitte donc ta figure.

SILVIA, *à part.* — A la fin, je crois qu'il m'amuse... *(Haut.)* Eh bien, Bourguignon, tu ne veux donc pas finir? Faudra-t-il que je te quitte[2]? *(A part.)* Je devrais déjà l'avoir fait. 395

DORANTE. — Attends, Lisette, je voulais moi-même te parler d'autre chose, mais je ne sais plus ce que c'est.

SILVIA. — J'avais de mon côté quelque chose à te dire ; mais tu m'as fait perdre mes idées aussi, à moi[3]. 400

DORANTE. — Je me rappelle de[4] t'avoir demandé si ta maîtresse te valait.

SILVIA. — Tu reviens à ton chemin par un détour ; adieu.

DORANTE. — Eh! non, te dis-je, Lisette ; il ne s'agit ici que de mon maître. 405

---

1. Jeu d'esprit : Dorante reprend un mot *(passer)* et le renvoie adroitement. — 2. Fausse sortie de Silvia, soulignée par l'aparté : *Je devrais déjà l'avoir fait.* — 3. Dorante et Silvia sont sincères ici : ils ont tous les deux oublié le projet de mariage. — 4. Tour correct au XVIIIᵉ siècle.

■■■

● **Les caractères** — DORANTE s'abandonne sans réserve à son penchant, cependant que SILVIA dissimule encore son amour naissant sous de faux prétextes : curiosité (l. 379), surprise (l. 378), sympathie (l. 382) ; le mécontentement cède à une indulgence amusée, présage d'amour (l. 395).

● **La virtuosité du dialogue** — N'est-ce pas celle que l'on pratiquait dans les salons. ?
Notez l'antithèse : *perdre — gagnes* (l. 376). C'est plus qu'un jeu d'esprit. Pour Dorante, comme pour Silvia, l'amour ne peut être fondé que sur l'estime : les « jeunes premiers » de Marivaux sont fidèles à l'idéal de la Préciosité..., et de Corneille (cf. *Polyeucte*, II, 2, v. 521-532). Dorante ne se serait pas intéressé à une soubrette facile : c'est l'obstacle qui stimule l'amour.

① Vous appliquerez à la scène 7 les remarques suivantes de Marmontel : « Le langage usuel doit être rempli de finesse, d'allusions, d'expressions à double face, de tours adroits, de traits délicats et subtils ; et plus il y a de société et de communication entre les esprits, plus la galanterie et le point d'honneur ont rendu la politesse recommandable.»

② Quelle est l'importance de cette scène ? De Silvia et de Dorante qui est le premier troublé ?

③ Montrez l'utilité des déguisements dans le développement des sentiments, en justifiant le rôle des apartés de Silvia.

■■■

SILVIA. — Eh bien, soit[1]! je voulais te parler de lui aussi, et j'espère que tu voudras bien me dire confidemment[2] ce qu'il est. Ton attachement pour lui m'en donne bonne opinion; il faut qu'il ait du mérite, puisque tu le sers. 410

DORANTE. — Tu me permettras peut-être de te remercier[3] de ce que tu me dis là, par exemple[4]?

SILVIA. — Veux-tu bien ne prendre pas garde à l'imprudence que j'ai eue de le dire?

DORANTE. — Voilà encore de ces réponses qui m'emportent[5]. Fais 415 comme tu voudras, je n'y résiste point; et je suis bien malheureux de me trouver arrêté[6] par tout ce qu'il y a de plus aimable au monde.

SILVIA. — Et moi, je voudrais bien savoir comment il se fait que j'ai[7] la bonté de t'écouter; car, assurément, cela est singulier. 420

DORANTE. — Tu as raison, notre aventure est unique[8].

SILVIA, *à part.* — Malgré tout ce qu'il me dit, je ne suis point partie, je ne pars point, me voilà encore, et je réponds! En vérité, cela passe[9] la raillerie. *(Haut.)* Adieu.

DORANTE. — Achevons donc ce que nous voulions dire. 425

SILVIA. — Adieu, te dis-je; plus de quartier[10]. Quand ton maître sera venu, je tâcherai, en faveur de ma maîtresse, de le connaître par moi-même, s'il en vaut la peine[11]. En attendant, tu vois cet appartement, c'est le vôtre.

DORANTE. — Tiens, voici mon maître. 430

Scène VIII. — DORANTE, SILVIA, ARLEQUIN.

ARLEQUIN. — Ah! te voilà, Bourguignon! Mon porte-manteau[12] et toi, avez-vous été bien reçus?

DORANTE. — Il n'était pas possible qu'on nous reçût mal, Monsieur.

ARLEQUIN. — Un domestique là-bas m'a dit d'entrer ici, et qu'on allait avertir mon beau-père qui était avec ma femme. 435

SILVIA. — Vous voulez dire monsieur Orgon et sa fille, sans doute, Monsieur[13]!

---

1. Silvia est déçue de voir le badinage cesser; c'est à contre-cœur qu'elle s'informe du maître. Malgré elle, elle revient au valet en le complimentant. — 2. Confidentiellement. — 3. Dorante profite de l'occasion pour en revenir à Silvia. — 4. Assurément. — 5. Qui me transportent. Dorante est enthousiasmé par l'esprit de Silvia, qui égale sa beauté. — 6. Retenu prisonnier. Noter l'antithèse entre *emportent* et *arrêté*. — 7. On emploierait aujourd'hui le subjonctif. — 8. De nouveau, Dorante et Silvia tombent d'accord, sans connaître le motif véritable de leur accentement, d'où l'effet comique. — 9. Dépasse. — 10. Plus de grâce. Silvia commence à avoir peur de son penchant, aussi fuit-elle. — 11. L'hypo-thèse, bien détachée du contexte par la ponctuation, montre que Silvia met en doute la valeur du maître et qu'elle n'est plus pressée de le connaître. — 12. Ma valise. Pour se donner l'air d'un *homme de mérite* (l. 444), Arlequin affecte de traiter son valet avec mépris. (Cf. Mascarille et ses porteurs, *les Précieuses ridicules*, sc. 7.) — 13. Silvia est choquée par la vulgarité d'Arlequin : elle le reprend avec d'autant plus de vivacité qu'elle commence à s'attacher à Dorante.

MARIO. — *Ah! ah! cela sera plaisant* (I, 4, 1. 200)
Télévision française 13 décembre 1959

MONSIEUR ORGON. — *Lisette, que dis-tu de ce garçon-là?*
(I, 6, 1. 262)

ARLEQUIN. — Eh! oui, mon beau-père et ma femme, autant vaut. Je viens pour épouser[1], et ils m'attendent pour être mariés[2]; cela est convenu; il ne manque plus que la cérémonie, qui est une bagatelle[3]. 440

SILVIA. — C'est une bagatelle qui vaut bien la peine qu'on y pense.

ARLEQUIN. — Oui; mais quand on y a pensé, on n'y pense plus.

SILVIA, *bas à Dorante*. — Bourguignon, on est homme de mérite à bon marché chez vous, ce me semble[4]. 445

ARLEQUIN. — Que dites-vous là à mon valet, la belle?

SILVIA. — Rien; je lui dis seulement que je vais faire descendre monsieur Orgon.

ARLEQUIN. — Et pourquoi ne pas dire mon beau-père[5], comme moi?

SILVIA. — C'est qu'il ne l'est pas encore[6]. 450

DORANTE. — Elle a raison, Monsieur; le mariage n'est pas fait.

ARLEQUIN. — Eh bien, me voilà pour le faire.

DORANTE. — Attendez donc qu'il soit fait.

ARLEQUIN. — Pardi! voilà bien des façons pour un beau-père de la veille ou du lendemain[7]. 455

SILVIA. — En effet, quelle si grande différence y a-t-il entre être marié ou ne l'être pas? Oui, Monsieur, nous avons tort, et je cours informer votre beau-père de votre arrivée[8].

ARLEQUIN. — Et ma femme aussi, je vous prie. Mais avant que de partir, dites-moi une chose; vous qui êtes si jolie, n'êtes-vous 460 pas la soubrette de l'hôtel[9]?

SILVIA. — Vous l'avez dit.

ARLEQUIN. — C'est fort bien fait; je m'en réjouis. Croyez-vous que je plaise ici? Comment me trouvez-vous?

SILVIA. — Je vous trouve... plaisant[10]. 465

---

1. Emploi insolite d'*épouser* comme verbe intransitif. La différence de sens avec l'actif est importante : aux yeux d'Arlequin, c'est le mariage (ou la dot), non la mariée qui compte. — 2. Remarquer la gaucherie du tour appliquant *mariés* à Orgon et à Silvia. Quel contraste avec le style de Dorante! — 3. De quoi choquer n'importe quelle jeune fille, surtout une Silvia qui était si prévenue contre le mariage (cf. sc. 1). — 4. L'insistance d'Arlequin et son esprit de lourdaud (la reprise de *pense*) exaspèrent Silvia qui, faute de pouvoir quereller Arlequin, s'en prend à Dorante. — 5. Le mot *beau-père* était devenu familier dans la bonne société. Il ne l'était pas encore à l'époque de Corneille (cf. les stances de *Polyeucte*). — 6. La réplique de Silvia est à double sens : simple constatation de fait et menace déguisée : elle n'a pas envie d'épouser ce sot. — 7. Arlequin, qui n'a saisi que le premier sens, se croit spirituel en prolongeant la discussion : *un beau-père de la veille ou du lendemain*. Il n'est toujours pas question de la principale intéressée. — 8. Silvia se venge par l'ironie, affectant une prompte obéissance *(je cours)*. Comparez avec l'ironie de Dorine :

> « Et je vais à Madame annoncer, par avance,
> La part que vous prenez à sa convalescence. »
>
> (*Tartuffe*, I, 4).

— 9. Maison privée. Cf. l'Hôtel de Nevers, l'Hôtel d'Argenson, etc. Pourquoi Arlequin retient-il Silvia? — 10. Comique, ridicule. Silvia joue sur les deux sens du mot; comme participe : qui plaît; comme adjectif : dont on se moque. Bien entendu, Arlequin l'interprète à contresens.

ARLEQUIN. — Bon, tant mieux! entretenez-vous dans ce sentiment-là;
il pourra trouver sa place.

SILVIA. — Vous êtes bien modeste de vous en contenter. Mais je vous
quitte; il faut qu'on ait oublié d'avertir votre beau-père[1], car
assurément il serait venu, et je vais le chercher.   470

ARLEQUIN. — Dites-lui que je l'attends avec affection.

SILVIA, *à part.* — Que le sort est bizarre! aucun de ces deux hommes
n'est à sa place[2].

---

1. Silvia, devant la stupidité d'Arlequin, accentue l'ironie. — 2. Elle avoue son désappointement et son inquiétude. Mais le public, averti, ne peut prendre son chagrin au sérieux.

━━━

● **L'arrivée d'Arlequin** — *Le Jeu...*, composé pour les Comédiens-Italiens et joué par eux, conserve une place d'honneur au personnage essentiel de la *commedia dell'arte*. Le premier contact d'Arlequin et du public doit provoquer le rire. Au cours de la pièce, on verra ce boute-en-train balourd s'enrichir de nouveaux traits. Du vivant de Marivaux, Thomassin jouait ARLEQUIN avec son masque noir et son costume losangé. Sur la scène du Théâtre-Français, Arlequin, devenu PASQUIN, a les vêtements de Dorante, mais il les porte gauchement.

① Distinguez la nature des deux comiques. Cette différence d'interprétation ne transforme-t-elle pas le caractère de la pièce entière?

② Quel changement de **ton** l'arrivée d'Arlequin introduit-elle?

③ Pourquoi Marivaux a-t-il interrompu l'entretien de Dorante et de Silvia, quand il tournait au tendre?

④ Montrez en quoi cet entretien a fait avancer l'action; comment les sentiments ont-ils évolué depuis la scène 6?

⑤ Montrez que le dialogue entre Silvia et Arlequin passe de l'esprit à la parodie de l'esprit, et commentez à cette occasion la définition suivante de Voltaire : « Ce qu'on appelle *esprit* est tantôt une comparaison nouvelle, tantôt une allusion fine : ici, c'est l'abus d'un mot qu'on présente dans un sens, et qu'on laisse entendre dans un autre; là, un rapport délicat entre deux idées peu communes » *(Dictionnaire philosophique).*

⑥ Quels sont les sentiments de Dorante devant la sottise d'Arlequin?

⑦ Que pensez-vous de l'opinion suivante de d'Alembert : « A travers ce jargon si entortillé, si précieux, si éloigné de la nature, Marivaux a su conserver le mérite de la vérité du dialogue. »

⑧ Expliquez et commentez cette remarque de Kléber Haedens : « Toute l'action est contenue dans les paroles. »

━━━

Scène IX. — DORANTE, ARLEQUIN.

ARLEQUIN. — Eh bien, Monsieur, mon commencement va bien ; je plais déjà à la soubrette[1]. 475

DORANTE. — Butor[2] que tu es !

ARLEQUIN. — Pourquoi donc ? mon entrée a été si gentille !

DORANTE. — Tu m'avais tant promis de laisser là tes façons de parler sottes et triviales ! je t'avais donné de si bonnes instructions ! je ne t'avais recommandé que d'être sérieux. Va, je vois 480 bien que je suis un étourdi de m'en être fié à toi.

ARLEQUIN. — Je ferai encore mieux dans la suite ; et, puisque le sérieux[3] n'est pas suffisant, je donnerai du mélancolique ; je pleurerai, s'il le faut.

DORANTE. — Je ne sais plus où j'en suis ; cette aventure-ci m'étourdit[4]. Que faut-il que je fasse ? 485

ARLEQUIN. — Est-ce que la fille n'est pas plaisante ?

DORANTE. — Tais-toi ; voici monsieur Orgon qui vient.

Scène X. — MONSIEUR ORGON, DORANTE, ARLEQUIN.

MONSIEUR ORGON. — Mon cher Monsieur, je vous demande mille pardons de vous avoir fait attendre ; mais ce n'est que de cet 490 instant que j'apprends que vous êtes ici.

ARLEQUIN. — Monsieur, mille pardons ! c'est beaucoup trop ; il n'en faut qu'un[5], quand on n'a fait qu'une faute. Au surplus, tous mes pardons sont à votre service.

MONSIEUR ORGON. — Je tâcherai de n'en avoir pas[6] besoin. 495

ARLEQUIN. — Vous êtes le maître, et moi votre serviteur[7].

MONSIEUR ORGON. — Je suis, je vous assure, charmé de vous voir, et je vous attendais avec impatience.

---

1. Contresens comique. — 2. Stupide. — 3. *Le sérieux, le mélancolique :* l'emploi de l'adjectif substantivé pour l'expression des sentiments a été introduit par la Préciosité. Arlequin souligne sa promesse par un jeu de physionomie. — 4. Dorante ne s'occupe plus d'Arlequin. La querelle qu'il lui a cherchée venait plus de l'énervement que du mécontentement. Le charme de Silvia l'a subjugué ; il venait pour jouer un rôle, et c'est lui qui est le jouet de la passion subite. — 5. Encore la parodie de l'esprit. Arlequin prend l'expression *mille* pardons à la lettre. — 6. Place habituelle de la négation renforcée, au XVIIIe siècle. — 7. Mot d'esprit destiné à provoquer le rire du public. Arlequin s'imagine que M. Orgon n'est pas au courant du déguisement et il fait un jeu de mots sur le double sens de *votre serviteur*.

ARLEQUIN. — Je serais d'abord venu ici avec Bourguignon; mais quand on arrive de voyage, vous savez qu'on est si mal bâti[1]! et j'étais bien aise de me présenter dans un état plus ragoûtant[2]. 500

MONSIEUR ORGON. — Vous y avez fort bien réussi. Ma fille s'habille[3]; elle a été un peu indisposée; en attendant qu'elle descende, voulez-vous vous rafraîchir?

ARLEQUIN. — Oh! je n'ai jamais refusé de trinquer[4] avec personne. 505

MONSIEUR ORGON. — Bourguignon, ayez soin de vous, mon garçon.

ARLEQUIN. — Le gaillard est gourmet; il boira du meilleur[5].

MONSIEUR ORGON. — Qu'il ne l'épargne pas.

---

1. Allusion à son aspect physique : Arlequin (Thomassin) était petit et se contorsionnait. Ne pas oublier son masque grotesque. — 2. Appétissant (au figuré). Le mot était vieilli au XVIIIe siècle. — 3. Orgon joue son rôle de père de famille. — 4. La familiarité du mot contraste avec le rôle d'Arlequin et avec la politesse de M. Orgon. Regnard, dans les diverses métamorphoses qu'il fait subir à Arlequin, utilise ce procédé de comique, mais d'une façon plus appuyée. Noter qu'Arlequin, à l'idée de boire, oublie son déguisement, c'est le cri du cœur. — 5. Arlequin reprend son rôle de maître.

■■■

● **Les caractères** — MONSIEUR ORGON est-il un père de comédie (cf. le répertoire de Molière, et plus tard celui de Goldoni) ou un père moderne, indulgent et affectueux?
MARIO : Comparez-le avec Damis, le « sot en trois lettres » du *Tartuffe*.
DORANTE et SILVIA : ils appartiennent à la même famille d'âmes pures et exigeantes; mais réagissent-ils de la même façon devant leurs sentiments?
LISETTE et ARLEQUIN : ce sont des serviteurs, mais la différence des caractères est considérable. Confrontez l'esprit de Lisette et la balourdise d'Arlequin.

● **L'action** — Elle se confond avec l'évolution des sentiments : Dorante est épris de Silvia, celle-ci est troublée. Les prévisions de Mario paraissent devoir se réaliser.

● **Le comique** — Il résulte du *jeu* (Dorante et Silvia s'imaginent le mener, alors qu'ils sont dupes), des situations, qui résultent elles-mêmes du double déguisement, mais surtout de l'esprit des personnages, des nuances du sentiment et de la sottise familière d'Arlequin, qui vient à propos pour soulever les applaudissements.

● **L'intérêt de curiosité** — L'amour de Dorante et de Silvia se développera-t-il assez pour triompher de l'amour-propre? Soutiendront-ils leur rôle jusqu'au bout?

① L'acte I vous paraît-il justifier l'opinion de Brunetière : « Pas ou peu d'incidents; rien qui vienne du dehors, mais une succession d'états d'âme » ?

② Commentez cette remarque de Sainte-Beuve : « Chez Marivaux, les valets sont plus décents [que chez Molière]. Ils se rapprochent de leurs maîtres; ils en peuvent jouer au besoin le rôle sans trop d'invraisemblance. »

■■■

ACTE II

Scène première. — LISETTE, MONSIEUR ORGON.

MONSIEUR ORGON. — Eh bien, que me veux-tu, Lisette ?

LISETTE. — J'ai à vous entretenir un moment. ⁵¹⁰

MONSIEUR ORGON. — De quoi s'agit-il ?

LISETTE. — De vous dire l'état où sont les choses, parce qu'il est important que vous en soyez éclairci, afin que vous n'ayez point à vous plaindre de moi.

MONSIEUR ORGON. — Ceci est donc bien sérieux ? ⁵¹⁵

LISETTE. — Oui, très sérieux. Vous avez consenti au déguisement de Mˡˡᵉ Silvia ; moi-même je l'ai trouvé d'abord sans conséquence ; mais je me suis trompée.

MONSIEUR ORGON. — Et de quelle conséquence est-il donc ?

LISETTE. — Monsieur, on a de la peine à se louer soi-même ; mais, ⁵²⁰ malgré toutes les règles de la modestie, il faut pourtant que je vous dise que, si vous ne mettez ordre à ce qui arrive, votre prétendu gendre n'aura plus de cœur à donner à mademoiselle votre fille. Il est temps qu'elle se déclare, cela presse ; car, un jour plus tard, je n'en réponds plus. ⁵²⁵

MONSIEUR ORGON. — Eh ! d'où vient qu'il ne voudra plus de ma fille, quand il la connaîtra ? Te défies-tu de ses charmes ?

LISETTE. — Non ; mais vous ne vous défiez pas assez des miens. Je vous avertis qu'ils vont leur train, et je ne vous conseille pas de les laisser faire[1]. ⁵³⁰

MONSIEUR ORGON. — Je vous en fais mes compliments, Lisette. *(Il rit.)* Ah ! ah ! ah !

LISETTE. — Nous y voilà ; vous plaisantez, Monsieur ; vous vous moquez de moi ; j'en suis fâchée, car vous y serez pris.

MONSIEUR ORGON. — Ne t'en embarrasse pas, Lisette ; va ton che- ⁵³⁵ min.

LISETTE. — Je vous le répète encore, le cœur de Dorante va bien vite. Tenez, actuellement, je lui plais beaucoup ; ce soir, il m'aimera ; il m'adorera demain. Je ne le mérite pas, il est de mauvais goût, vous en direz ce qu'il vous plaira, mais cela ne ⁵⁴⁰ laissera pas que d'être[2]. Voyez-vous ? demain je me garantis adorée[3].

---

1. Les *charmes* sont personnifiés : nouvelle trace de préciosité : voir p. 62, n. 3. — 2. Cela sera ainsi cependant. — 3. Noter la modestie de Lisette *(je ne le mérite pas :* l. 539), sa perspicacité (les sentiments d'Arlequin) et son esprit (la progression : plaire — être aimée — être adorée).

64

MONSIEUR ORGON. — Eh bien, que vous importe? S'il vous[1] aime tant, qu'il vous épouse!

LISETTE. — Quoi! vous ne l'en empêcheriez pas? 545

MONSIEUR ORGON. — Non, foi d'homme d'honneur, si tu le mènes jusque-là[2].

LISETTE. — Monsieur, prenez-y garde. Jusqu'ici je n'ai pas aidé à[3] mes appas, je les ai laissés faire tout seuls, j'ai ménagé sa tête; si je m'en mêle, je la renverse[4]; il n'y aura plus de remède. 550

MONSIEUR ORGON. — Renverse, ravage, brûle, enfin épouse; je te le permets, si tu le peux.

LISETTE. — Sur ce pied-là[5], je compte ma fortune faite.

MONSIEUR ORGON. — Mais dis-moi : ma fille t'a-t-elle parlé? Que pense-t-elle de son prétendu? 555

LISETTE. — Nous n'avons encore guère trouvé le moment de nous parler, car ce prétendu m'obsède; mais, à vue de pays[6], je ne la crois pas contente, je la trouve triste, rêveuse, et je m'attends bien qu'elle me priera[7] de le rebuter.

MONSIEUR ORGON. — Et moi, je te le défends. J'évite de m'expliquer 560 avec elle : j'ai mes raisons pour faire durer ce déguisement; je veux qu'elle examine son futur plus à loisir. Mais le valet, comment se gouverne-t-il[8]? ne se mêle-t-il pas d'aimer ma fille?

---

1. Quelle nuance indique le passage du *tu* au *vous*?. — 2. La promesse n'engage pas beaucoup M. Orgon, mais Lisette, elle, n'en revient pas. — 3. *Aider* s'emploie transitivement aujourd'hui. *Appas* a un sens voisin de *charmes* : beauté physique qui attire l'amour. Noter la personnification. — 4. Dans sa joie, Lisette emploie des métaphores incohérentes, que M. Orgon reprend plaisamment : *Renverse, ravage, brûle*. — 5. A ce compte-là. Expression familière dérivée de *pied* (unité de mesure). Lisette est d'autant plus fière de la conquête qu'elle s'imagine avoir affaire à un noble : le rêve de toutes les soubrettes. — 6. A première vue. — 7. *Je m'attends bien que* : le tour était correct au XVIIIe siècle. On dit aujourd'hui : *à ce que*. — 8. Se conduit-il.

- **L'action** — Notez les deux mouvements de la scène :
  — Du début à la ligne 553 : l'amour de Lisette et d'Arlequin, « l'amour à l'Italienne »;
  — De la ligne 553 à la fin : l'amour de Silvia et de Dorante, « l'amour à la Française ».
- **Les caractères** — LISETTE n'avait pas reparu depuis son déguisement. Elle s'efforce maintenant à la gravité. Elle montre son honnêteté en avertissant M. Orgon d'une situation qu'elle croit dangereuse pour Silvia. Certes, elle est embarrassée pour avouer qu'elle a conquis le pseudo-Dorante. De là, toutes ses restrictions : *malgré, pourtant, si...* Tout en étant flattée de son succès, elle craint la réprimande de M. Orgon. Notez qu'elle est la première à vouloir cesser le jeu.
  ① Pourquoi M. Orgon veut-il prolonger le jeu? Quelle est l'importance, pour l'action, de ses recommandations (l. 560-563) à Lisette?
  ② Quelle est la nature du comique dans cette scène?
  ③ A quoi reconnaît-on que l'amour de Silvia et de Dorante s'est développé?

LISETTE. — C'est un original[1]; j'ai remarqué qu'il fait l'homme de conséquence[2] avec elle, parce qu'il est bien tourné; il la regarde 565 et soupire.

MONSIEUR ORGON. — Et cela la fâche?

LISETTE. — Mais... elle rougit.

MONSIEUR ORGON. — Bon! tu te trompes; les regards d'un valet ne l'embarrassent pas jusque-là. 570

LISETTE. — Monsieur, elle rougit.

MONSIEUR ORGON. — C'est donc d'indignation.

LISETTE. — A la bonne heure[3].

MONSIEUR ORGON. — Eh bien, quand tu lui parleras, dis-lui que tu soupçonnes ce valet de la prévenir[4] contre son maître, et si elle 575 se fâche, ne t'en inquiète point; ce sont mes affaires. Mais voici Dorante qui te cherche apparemment.

Scène II. — LISETTE, ARLEQUIN, MONSIEUR ORGON.

ARLEQUIN. — Ah! je vous trouve, merveilleuse[5] dame; je vous demandais à tout le monde. Serviteur, cher beau-père ou peu s'en faut. 580

MONSIEUR ORGON. — Serviteur. Adieu, mes enfants; je vous laisse ensemble; il est bon que vous vous aimiez un peu avant de vous marier[6].

ARLEQUIN. — Je ferais bien ces deux besognes-là[7] à la fois, Monsieur. 585

MONSIEUR ORGON. — Point d'impatience; adieu.

Scène III. — LISETTE, ARLEQUIN.

ARLEQUIN. — Madame, il dit que je ne m'impatiente pas; il en parle bien à son aise, le bonhomme[8]!

LISETTE. — J'ai de la peine à croire qu'il vous en coûte tant d'attendre, Monsieur; c'est par galanterie que vous faites l'impatient; à peine êtes-vous arrivé! Votre amour ne saurait être bien fort; ce 590 n'est tout au plus qu'un amour naissant.

ARLEQUIN. — Vous vous trompez, prodige de nos jours, un amour de votre façon ne reste pas longtemps au berceau; votre premier coup d'œil a fait naître le mien, le second lui a donné des forces et le troisième l'a rendu grand garçon; tâchons de l'établir[9] au 595 plus vite; ayez soin de lui, puisque vous êtes sa mère.

---

1. Sens légèrement péjoratif : un extravagant. — 2. L'homme d'importance. — 3. Lisette est-elle dupe de l'explication de M. Orgon? — 4. Mettre en garde contre. — 5. L'empressement d'Arlequin confirme les propos de Lisette. Voulant imiter le style du grand monde, il exagère ses compliments. — 6. M. Orgon s'amuse de la gaucherie d'Arlequin, mais il est sincère lorsqu'il déclare que l'amour doit précéder le mariage. — 7. La vulgarité d'Arlequin reparaît vite : voir *les Caractères*, p. 69. — 8. Au XVIIIe siècle, *bonhomme* était moins irrespectueux qu'aujourd'hui, mais déjà bien familier. — 9. Le marier.

Paule Noëlle (LISETTE) et Geneviève Casile (SILVIA)
Comédie-Française, 1968.

SILVIA. — *Tu ne sais ce que tu dis. Dans le mariage, on a plus souvent affaire à l'homme raisonnable qu'à l'aimable homme.*   (I, 1, l. 59-60)

LISETTE. — Trouvez-vous qu'on le maltraite? Est-il si abandonné?

ARLEQUIN. — En attendant qu'il soit pourvu[1], donnez-lui seulement votre belle main blanche, pour l'amuser[2] un peu.

LISETTE. — Tenez donc, petit importun, puisqu'on ne saurait avoir ⁶⁰⁰ la paix qu'en vous amusant.

ARLEQUIN, *en lui baisant la main.* — Cher joujou de mon âme[3]! cela me réjouit comme du vin délicieux. Quel dommage de n'en avoir que roquille[4].

LISETTE. — Allons, arrêtez-vous; vous êtes trop avide. ⁶⁰⁵

ARLEQUIN. — Je ne demande qu'à me soutenir, en attendant que je vive[5].

LISETTE. — Ne faut-il pas avoir de la raison?

ARLEQUIN. — De la raison! hélas! je l'ai perdue; vos beaux yeux sont les filous qui me l'ont volée[6]. ⁶¹⁰

LISETTE. — Mais est-il possible que vous m'aimiez tant? je ne saurais me le persuader.

ARLEQUIN. — Je ne me soucie pas de ce qui est possible, moi; mais je vous aime comme un perdu, et vous verrez bien dans votre miroir que cela est juste. ⁶¹⁵

LISETTE. — Mon miroir ne servirait qu'à me rendre plus incrédule.

ARLEQUIN. — Ah! mignonne adorable! votre humilité[7] ne serait donc qu'une hypocrite!

LISETTE. — Quelqu'un vient à nous; c'est votre valet.

SCÈNE IV. — DORANTE, ARLEQUIN, LISETTE.

DORANTE. — Monsieur, pourrais-je vous entretenir un moment? ⁶²⁰

ARLEQUIN. — Non; maudite soit la valetaille qui ne saurait nous laisser en repos[8]!

LISETTE. — Voyez ce qu'il vous veut, Monsieur.

DORANTE. — Je n'ai qu'un mot à vous dire.

ARLEQUIN. — Madame, s'il en dit deux, son congé sera le troisième. ⁶²⁵ Voyons.

---

1. Marié (même sens que dans *établir* : l. 595). Ces mots du langage parlé contrastent avec l'emphase de *prodige de nos jours* (l. 592). — 2. L'occuper. — 3. Noter l'opposition entre *joujou*, diminutif familier, et *âme*, qui évoque un amour absolu. Le caractère burlesque de la tirade s'accentue avec la comparaison du *vin délicieux*. (cf. I, 10, l. 505 : *je n'ai jamais refusé de trinquer...*). — 4. *Un quart de setier*, c'est-à-dire un huitième de litre : bien peu pour un gosier altéré. — 5. Toujours la parodie de la préciosité : l'Amour ne vivra vraiment que lorsque Arlequin sera le mari de Lisette. — 6. Souvenir des *Précieuses ridicules*, sc. 10 : « MASCARILLE — Votre œil en tapinois me dérobe mon cœur »; *filou*, plus familier que *voleur*, contraste avec les prétentions au style « précieux ». — 7. Encore un mot abstrait personnifié. — 8. Arlequin est sincèrement mécontent d'être dérangé, mais il imite en même temps le ton impérieux des petits-maîtres... et force la note. *Valetaille*, plus général que *valet*, désigne l'ensemble des serviteurs, engeance méprisable.

DORANTE, *bas à Arlequin.* — Viens donc, impertinent[1].

ARLEQUIN, *bas à Dorante.* — Ce sont des injures, et non pas des mots, cela... *(A Lisette.)* Ma reine[2], excusez.

LISETTE. — Faites, faites.   630

DORANTE, *bas.* — Débarrasse-moi de tout ceci ; ne te livre point ; parais sérieux et rêveur[3], et même mécontent ; entends-tu ?

ARLEQUIN. — Oui, mon ami ; ne vous inquiétez pas, et retirez-vous.

---

1. Voir *le Comique.* — 2. Compliment inopportun pour un valet qui vient d'être battu. — 3. Distrait, préoccupé : être *sérieux et rêveur* ne convient guère au tempérament d'Arlequin. Noter que Lisette (sc. 1) avait montré Silvia *triste, rêveuse* (l. 558), mais la mélancolie de Silvia n'était pas une feinte.

■■

● **L'action** — Remarquez la rapidité des scènes 3 et 4 : le duo burlesque est vite interrompu par Dorante, ce qui rendra sa reprise plus amusante.

● **Les caractères** — ARLEQUIN recommence la même sottise qu'à la scène 10 de l'acte I (voir le mot *serviteur* à la l. 496), et il utilise le même jeu de mots : *beau-père... autant vaut* : voir I, 8, l. 438. Son répertoire n'est pas varié.
A la ligne 587, il devrait dire « Monsieur Orgon » ou « Monsieur votre père », et non : *le bonhomme.* Il n'a pas tenu compte de la leçon de politesse que lui a donnée Silvia (I, 8).
Le grotesque de sa préciosité dépasse celle de Mascarille dans *les Précieuses ridicules.* Pascal avait déjà dénoncé les fausses beautés poétiques du lyrisme précieux, comme « siècle d'or, merveille de nos jours » (*Pensées*, Br. I, 33). Le goût raffiné du XVIIIe siècle les trouvait encore plus insupportables. Or, Arlequin appelle la pseudo-Silvia : *prodige de nos jours* (l. 592) ; et sa comparaison de l'amour et d'un enfant nouveau-né est sans doute un écho des *Femmes savantes* (III, 1), où Trissotin présente ainsi son épigramme à Philaminte : « Hélas ! c'est un enfant tout nouveau-né, Madame » (v. 720 et suiv.). Voulant éblouir Lisette par son esprit, il se rend ridicule en filant la métaphore jusqu'au bout : l. 607.

● **Le comique** — Il vient des jeux de scène traditionnels : Arlequin baisant maladroitement la main de Lisette (l. 602) ; Dorante donnant deux coups de pied à son valet (l. 627) ; Arlequin se frottant les reins...

① Relevez les changements de ton, selon qu'Arlequin s'adresse à Lisette ou à Dorante en particulier.

② Étudiez le comique de farce dans le vocabulaire d'Arlequin.

③ Les scènes 3, 4, 5 justifient-elles la critique de La Harpe : « Maîtres, valets... tous ont l'esprit de Marivaux ; certes, ce n'est pas celui du théâtre. »

■■

SCÈNE V. — ARLEQUIN, LISETTE.

ARLEQUIN. — Ah! Madame, sans lui j'allais vous dire de belles choses, et je n'en trouverai plus que de communes[1] à cette heure, hormis mon amour qui est extraordinaire. Mais, à propos de mon amour, quand est-ce que le vôtre lui tiendra compagnie[2]? 635

LISETTE. — Il faut espérer que cela viendra.

ARLEQUIN. — Et croyez-vous que cela vienne bientôt?

LISETTE. — La question est vive; savez-vous bien que vous m'embarrassez? 640

ARLEQUIN. — Que voulez-vous? Je brûle et je crie au feu[3].

LISETTE. — S'il m'était permis de m'expliquer si vite...

ARLEQUIN. — Je suis du sentiment que vous le pouvez en conscience.

LISETTE. — La retenue[4] de mon sexe ne le veut pas. 645

ARLEQUIN. — Ce n'est donc pas la retenue d'à présent; elle donne bien d'autres permissions.

LISETTE. — Mais que me demandez-vous?

ARLEQUIN. — Dites-moi un petit brin[5] que vous m'aimez. Tenez, je vous aime, moi; faites l'écho, répétez, princesse. 650

LISETTE. — Quel insatiable! Eh bien, Monsieur, je vous aime[6].

ARLEQUIN. — Eh bien, Madame, je me meurs[7], mon bonheur me confond, j'ai peur d'en courir les champs[8]. Vous m'aimez! cela est admirable!

LISETTE. — J'aurais lieu à mon tour d'être étonnée de la promptitude de votre hommage. Peut-être m'aimerez-vous moins quand nous nous connaîtrons mieux[9]. 655

ARLEQUIN. — Ah! Madame, quand nous en serons là, j'y perdrai beaucoup; il y aura bien à décompter[10].

LISETTE. — Vous me croyez plus de qualité que je n'en ai. 660

ARLEQUIN. — Et vous, Madame, vous ne savez pas les miennes, et je ne devrais vous parler qu'à genoux[11].

LISETTE. — Souvenez-vous qu'on n'est pas le maître de son sort.

ARLEQUIN. — Les pères et mères font à leur tête.

LISETTE. — Pour moi, mon cœur vous aurait choisi, dans quelque état[12] que vous eussiez été. 665

---

1. Arlequin retourne à son profit l'intervention de Dorante : les choses *communes* (vulgaires) sont mieux de son ressort que les *belles*. — 2. Encore une personnification parodique du style précieux, mais Arlequin retombe vite dans le trivial. — 3. Nouvelle parodie des métaphores précieuses : *feux*, *flammes* abondent dans la poésie amoureuse. L'effet comique est produit par la logique naïve d'Arlequin : puisqu'il *brûle*, il *crie au feu*, comme pour un incendie réel. Noter le changement de ton : Arlequin vocifère, de même que Mascarille (*les Précieuses Ridicules*) crie « au voleur, au voleur! » — 4. Pudeur. — 5. Noter le contraste entre l'expression familière *un petit brin* et le mot *princesse*. — 6. Lisette, toujours sincère, ne se fait pas prier trop longtemps pour avouer son amour. Silvia y mettra beaucoup plus de façons. — 7. Parodie d'une déclaration galante. — 8. D'en battre la campagne, d'en devenir fou. — 9. Lisette est inquiète sur la suite et amorce un aveu de sa condition. — 10. A rabattre sur le prix de l'objet. — 11. Lisette et Arlequin font assaut d'humilité. — 12. Condition sociale.

ARLEQUIN. — Il a beau jeu[1] pour me choisir encore.

LISETTE. — Puis-je me flatter que vous soyez de même à mon égard ?

ARLEQUIN. — Hélas ! quand vous ne seriez que Perrette ou Margot[2], quand je vous aurais vue, le martinet[3] à la main, descendre à la cave, vous auriez toujours été ma princesse[4].   670

LISETTE. — Puissent de si beaux sentiments être durables[5]!

ARLEQUIN. — Pour les fortifier de part et d'autre, jurons-nous de nous aimer toujours, en dépit de toutes les fautes d'orthographe[6] que vous aurez faites sur mon compte.   675

LISETTE. — J'ai plus d'intérêt à ce serment-là que vous[7], et je le fais de tout mon cœur.

ARLEQUIN *se met à genoux.* — Votre bonté m'éblouit et je me prosterne devant elle[8].

LISETTE. — Arrêtez-vous ; je ne saurais vous souffrir dans cette pos-   680
ture-là, je serais ridicule de vous y laisser ; levez-vous[9]. Voilà encore quelqu'un.

---

1. Belle occasion. — 2. Noms familiers de paysannes et de servantes. — 3. Bougeoir. Arlequin imagine une servante allant chercher du vin à la cave : toute son imagination tourne autour du vin. En fait, Lisette est mieux qu'une servante de cuisine : elle est la coiffeuse de Silvia. — 4. Arlequin revient adroitement à ses premiers compliments. Qu'importe que Lisette ne soit pas une vraie princesse, si elle est la sienne. — 5. Le vœu de Lisette est tout à fait sincère. — 6. Les erreurs de noms : allusion à l'usurpation de personnalité, au déguisement. — 7. Pourquoi cette affirmation de Lisette est-elle comique ? — 8. Noter la personnification de *bonté*, l'emploi du mot noble *prosterne* : Arlequin s'agenouille comme devant une divinité. — 9. Pourquoi Lisette trouve-t-elle cette posture ridicule ? N'est-elle pas cependant émue de voir un homme (qu'elle croit noble) à ses pieds ? Noter son irritation : *Voilà encore quelqu'un.*

● **L'action** — La scène 5 est-elle seulement la reprise de la scène 3 ? Étudiez l'évolution des sentiments. La scène 5 ne prépare-t-elle pas les aveux de l'acte III, scène 6 ?

● **Les caractères** — Lisette et Arlequin sont aussi touchants que ridicules. Sous une forme familière (*courir les champs* : l. 653), Arlequin exprime un sentiment sincère. Il paraît stupéfait d'être aimé par une jeune fille de bonne maison, et, si l'on tient compte des différences de classe, sa chance est, en effet, *admirable* (l. 654).

① Dans *le Paysan parvenu*, Jacob ne se fait pas faute de chercher les faveurs des personnes de qualité. Arlequin, lui, a des scrupules : vous le montrerez.

● **Le comique** — Relevez les divers effets comiques : parodies précieuses ; mélange des styles ; changements de ton ; attitudes.

② Pourquoi sont-ils moins gros que dans la scène 3 ?

③ En vous appuyant sur la scène 5, vous montrerez que Marivaux a profondément modifié l'Arlequin traditionnel de la Comédie Italienne, et transformé le balourd de Bergame (voir p. 72, n. 4) en un valet français, naïf et matois, mais honnête.

④ Que pensez-vous de la remarque suivante de Marcel Arland : « Les valets eux-mêmes prennent une importance exceptionnelle ; indispensables à l'intrigue, précis et fondus tout ensemble dans l'harmonieuse unité de la pièce » ?

Scène VI. — LISETTE, ARLEQUIN, SILVIA.

LISETTE. — Que voulez-vous, Lisette[1]?

SILVIA. — J'aurais à vous parler, Madame.

ARLEQUIN. — Ne voilà-t-il pas[2]! Eh! m'amie[3], revenez dans un quart 685
d'heure; allez. Les femmes de chambre de mon pays n'entrent
point qu'on ne les appelle[4].

SILVIA. — Monsieur, il faut que je parle à Madame.

ARLEQUIN. — Mais voyez l'opiniâtre soubrette! Reine de ma vie[5],
renvoyez-la. Retournez-vous-en, ma fille. Nous avons ordre de 690
nous aimer avant qu'on nous marie; n'interrompez point nos
fonctions.

LISETTE. — Ne pouvez-vous pas revenir dans un moment, Lisette?

SILVIA. — Mais, Madame...

ARLEQUIN. — Mais! ce mais-là n'est bon qu'à me donner la fièvre[6]. 695

SILVIA, *à part.* — Ah! le vilain homme! *(Haut.)* Madame, je vous
assure que cela est pressé.

LISETTE. — Permettez donc que je m'en défasse, Monsieur.

ARLEQUIN. — Puisque le diable le veut, et elle aussi... patience... je
me promènerai en attendant qu'elle ait fait[7]. Ah! les sottes gens 700
que nos gens[8]!

Scène VII. — SILVIA, LISETTE.

SILVIA. — Je vous trouve admirable de ne pas le renvoyer tout d'un
coup et de me faire essuyer les brutalités[9] de cet animal-là.

---

1. Scène symétrique de la sc. 4, mais non identique : Arlequin croyant avoir affaire
à la soubrette joue au maître autoritaire (ce qui gêne et amuse Lisette à la fois) et prend
sa revanche de l'algarade reçue à la sc. 4 (l. 627) sur Silvia. — 2. Interjection qui exprime
l'indignation. Le *t* euphonique s'est maintenu dans la langue, malgré la condamnation
des grammairiens, qui préféraient : *Ne voilà pas.* — 3. *M'amie* ou *ma mie*, élision populaire
pour *ma amie* (cf. *Tartuffe*, v. 13). La forme *mon amie* était employée dès le XVIIe siècle,
dans la langue de la bonne société. — 4. Comique rappel à l'ordre : d'abord Arlequin
est un valet ; ensuite, dans la tradition de la *commedia dell'arte*, c'est un rustre de Bergame
aux manières peu policées ; enfin Silvia lui avait donné une leçon de politesse (I, 8),
il lui rend la pareille. — 5. Toujours les compliments hyperboliques, qui contrastent avec
l'impropriété et la vulgarité de (l. 692) *fonctions* (cf. l. 584 : *ces deux besognes-là*). — 6.
Même idée que dans *Je brûle*, à la sc. précédente (l. 642). — 7. Ton familier. — 8. Arlequin simule toujours l'indignation du petit-maître mal servi, à l'imitation de Mascarille
(*Les Précieuses ridicules*, sc. 11) : « Je ne pense pas qu'il y ait gentilhomme en France
plus mal servi que moi. Ces canailles me laissent toujours seul. » Encore une fois, Arlequin déclenche le rire par ses facéties. Pour l'action psychologique, cette scène est utile,
puisqu'elle augmente l'animosité de Silvia envers le pseudo-Dorante. — 9. Grossièretés.
L'emportement de Silvia se traduit par un mot injurieux : *cet animal-là.* Est-ce une
allusion au masque de singe que porte Arlequin? Mais les maîtres avaient l'habitude
d'injurier valets et servantes. Dans l'*Ile des esclaves* (sc. 3), la soubrette Cléanthis énumère
les injures d'Euphrosine : « Sotte, ridicule, bête, butorde, imbécile ». D'instinct, Silvia
traite le pseudo-Dorante en laquais.

LISETTE. — Pardi! Madame[1], je ne puis pas jouer deux rôles à la fois ; il faut que je paraisse ou la maîtresse ou la suivante, que j'obéisse 705 ou que j'ordonne.

SILVIA. — Fort bien ; mais puisqu'il n'y est plus, écoutez-moi comme votre maîtresse. Vous voyez bien que cet homme-là[2] ne me convient point.

LISETTE. — Vous n'avez pas eu le temps de l'examiner beaucoup. 710

SILVIA. — Êtes-vous folle avec votre examen ? Est-il nécessaire de le voir deux fois pour juger du peu de convenance ? En un mot, je n'en veux point. Apparemment mon père n'approuve pas la répugnance qu'il me voit ; car il me fuit et ne me dit mot[3]. Dans cette conjoncture[4], c'est à vous à me tirer tout doucement d'affaire 715 en témoignant adroitement à ce jeune homme[5] que vous n'êtes pas dans le goût de l'épouser.

LISETTE. — Je ne saurais, Madame[6].

SILVIA. — Vous ne sauriez ? Et qu'est-ce qui vous en empêche ?

LISETTE. — Monsieur Orgon me l'a défendu. 720

SILVIA. — Il vous l'a défendu ! Mais je ne reconnais point mon père à ce procédé-là[7] !

LISETTE. — Positivement défendu[8].

SILVIA. — Eh bien, je vous charge de lui dire mes dégoûts[9] et de l'assurer qu'ils sont invincibles ; je ne saurais me persuader 725 qu'après cela il veuille pousser les choses plus loin.

LISETTE. — Mais, Madame, le futur, qu'a-t-il donc de si désagréable, de si rebutant[10] ?

SILVIA. — Il me déplaît, vous dis-je, et votre peu de zèle aussi[11].

LISETTE. — Donnez-vous le temps de voir ce qu'il est ; voilà tout ce 730 qu'on vous demande.

---

1. Lisette retrouve le style familier. Le bon sens de son explication calme un peu Silvia. Musset se souviendra de cette réplique (*Fantasio*, II, 4), lorsque le « glorieux prince » de Mantoue reproche à son aide-de-camp, Marinoni, déguisé en prince, de lui avoir fait un affront. — 2. Remarquer les termes employés par Silvia pour désigner Dorante : *le vilain homme, cet animal-là, cet homme-là*. Elle ne peut se résoudre à l'appeler par son nom. — 3. Rappel des conseils de M. Orgon à Lisette (II, 1, l. 560-563). — 4. Ce concours de circonstances. Vaugelas signalait (1647) que le mot est « très nouveau, mais excellent ». Corneille l'emploie souvent dans ses tragédies. — 5. *Ce jeune homme* : Silvia s'adoucit un peu : pour elle, la question est réglée . — 6. Réplique à double sens : allusion à l'ordre de M. Orgon, et aussi aux sentiments que Lisette éprouve pour Arlequin. — 7. Cette façon d'agir. En effet, M. Orgon n'a-t-il pas laissé à Silvia « entière liberté » de refuser Dorante (I, 2, l. 133) ? Elle a raison de s'étonner du changement d'attitude du « meilleur de tous les hommes » (l. 154). — 8. Pourquoi Lisette insiste-t-elle avec satisfaction sur cette défense ? — 9. Mon aversion. L'emploi du pluriel des mots abstraits est caractéristique de la « préciosité » de Marivaux. Cf. *les Serments indiscrets* (III, 8) : « DAMIS — Souvenez-vous que j'ai servi vos dégoûts pour moi avec un honneur... ». Noter aussi l'adjectif *invincibles*, qui fait partie de la langue noble, et le tour légèrement prétentieux *je ne saurais me persuader*. On retrouve la jeune fille hautaine des premières scènes. — 10. Déplaisant. L'adjectif est souvent employé par Marivaux dans ce sens ; cf. *Vie de Marianne* (9ᵉ partie) : « Le baron de Sercour n'est pas d'un âge rebutant. » — 11. La dispute prend un tour personnel : Lisette, vexée de voir son amoureux si maltraité, a pris l'offensive et Silvia réplique.

SILVIA. — Je le hais assez, sans prendre du temps pour le haïr davantage[1].

LISETTE. — Son valet, qui fait l'important, ne vous aurait-il point
gâté l'esprit[2] sur son compte ?

SILVIA. — Hum[3]! la sotte! son valet a bien affaire ici!

LISETTE. — C'est que je me méfie de lui, car il est raisonneur.

SILVIA. — Finissez vos portraits ; on n'en a que faire. J'ai soin que ce
valet me parle peu[4], et dans le peu qu'il m'a dit, il ne m'a jamais
rien dit que de très sage[5].

LISETTE. — Je crois qu'il est homme à vous avoir conté des histoires
maladroites[6] pour faire briller son bel esprit.

SILVIA. — Mon déguisement ne m'expose-t-il pas à m'entendre dire
de jolies choses ! A qui en avez-vous? D'où vous vient la manie
d'imputer à ce garçon une répugnance[7] à laquelle il n'a point de
part? Car enfin, vous m'obligez à le justifier, il n'est pas question
de le brouiller avec son maître ni d'en faire un fourbe, pour me
faire une imbécile[8], moi qui écoute ses histoires.

LISETTE. — Oh! Madame, dès que vous le défendez sur ce ton-là,
et que cela va jusqu'à vous fâcher, je n'ai plus rien à dire[9].

SILVIA. — Dès que je le défends sur ce ton-là! Qu'est-ce que c'est
que le ton dont vous dites cela vous-même? Qu'entendez-vous
par ce discours? Que se passe-t-il dans votre esprit?

LISETTE. — Je dis, Madame, que je ne vous ai jamais vue comme vous
êtes et que je ne conçois rien à votre aigreur. Eh bien, si ce valet[10]
n'a rien dit, à la bonne heure ; il ne faut pas vous emporter pour
le justifier ; je vous crois, voilà qui est fini ; je ne m'oppose pas à
la bonne opinion que vous en avez, moi[11].

SILVIA. — Voyez-vous le mauvais esprit! comme elle tourne les
choses! Je me sens dans une indignation[12]... qui... va jusqu'aux
larmes.

---

1. Même en colère, Silvia fait des « pointes » et joue sur les mots *assez* et *davantage*. — 2. Prévenu, donné des préventions contre ; voir ce qu'avait dit Lisette à M. Orgon
à la sc. 1, l. 568. Elle avait déjà accusé Dorante de faire « l'homme de conséquence » : l. 564.
— 3. L'interjection *hum* indique à la fois l'impatience et l'embarras. — 4. Toujours
l'amour-propre. En fait, Silvia n'avait pas su interrompre la *conversation réglée* (l. 387)
avec Dorante (I, 7). — 5. L'éloge serait banal, sans le superlatif *très*. Silvia avoue son
estime. — 6. Mal choisies. C'est effectivement le *bel esprit* de Dorante, qui a commencé
à surprendre Silvia. — 7. Attribuer à ce garçon la répugnance que j'ai. Noter que *garçon*,
dans le sens de *domestique*, est plus familier et amical que *valet*. — 8. *Imbécile* est plus
fort que *sotte* (l. 736) : « Les imbéciles n'ont point d'idées de leur propre fonds » (abbé
Girard, *Dictionnaire des synonymes*, 1718). — 9. Feinte retraite de Lisette. Elle a trop
bien deviné la raison de la colère de Silvia et de son *aigreur* (l. 755). — 10. Alors que Silvia
évite de prononcer le mot de *valet*, qui la froisse dans son amour-propre, Lisette le répète
avec insistance. — 11. Fausse indulgence qui va mettre Silvia hors d'elle-même. —
12. Quelle différence y a t-il entre l'emportement (signalé par Lisette à la l. 756) et
l'*indignation* ?

LISETTE. — En quoi donc, Madame? Quelle finesse[1] entendez-vous à ce que je dis?

SILVIA. — Moi, j'y entends finesse! moi, je vous querelle pour lui! j'ai bonne opinion de lui! Vous me manquez de respect jusque-là! Bonne opinion, juste Ciel! bonne opinion! Que faut-il que je réponde à cela? Qu'est-ce que cela veut dire? A qui parlez-vous? Qui est-ce qui est à l'abri de ce qui m'arrive? Où en sommes-nous? 765

LISETTE. — Je n'en sais rien; mais je ne reviendrai de longtemps de la surprise où vous me jetez. 770

SILVIA. — Elle a des façons de parler qui me mettent hors de moi. Retirez-vous; vous m'êtes insupportable; laissez-moi; je prendrai d'autres mesures[2].

---

1. Quel sous-entendu. « La finesse [...] consiste dans l'art de ne pas exprimer directement sa pensée, mais de la laisser aisément apercevoir » (Voltaire, *Dictionnaire philosophique*, art. « Finesse »). — 2. Silvia ne sait plus que dire et s'en tire par un ordre péremptoire.

■ **Structure de la scène** — Trois mouvements principaux :
1º Les « dégoûts » de Silvia : l. 702-726.
2º La contre-attaque de Lisette : l. 727-742.
3º « L'indignation » de Silvia : l. 743-774.

■ **Le dialogue** — Remarquez sa vivacité et son naturel. N'est-ce pas la reprise de la dispute de la scène 1? Relevez la différence de sincérité et d'intensité dans les sentiments : le mariage, pour Silvia et Lisette, n'est plus une abstraction, il se présente sous le visage de Dorante et d'Arlequin.

■ **Les nuances de sentiment** — Étudiez l'irritation et l'ironie de Lisette. L'amour inavoué de Silvia provoque : le mépris violent pour Arlequin; la « justification » de Dorante; la crise de larmes.

① Soulignez les mots qui traduisent cette évolution.

② Comparez la dispute avec celle de la Comtesse et de Colombine dans *la Surprise de l'Amour* (III, 2). Notez que la Comtesse, à la fin de la dispute, se réconcilie avec Colombine, tandis qu'ici Silvia est au comble de l'exaspération, quand elle renvoie Lisette.

③ Quelle est l'utilité de cette scène pour l'action?

④ Que pensez-vous de l'opinion suivante de Sarcey (*Marivaux*, 1881) : « Ne mettez pas trop de sérieux à ces emportements et à ces colères [...] Silvia est un moineau franc, une soupe au lait, un gentil petit cœur, ingénuement ouvert à tous les sentiments »?

⑤ Froissée dans son amour pour Arlequin-Dorante, Lisette n'est-elle pas sur le point de réagir comme une rivale de Silvia?

Scène VIII. — SILVIA, *seule*.

Je frissonne[1] encore de ce que je lui ai entendu dire. Avec quelle [775]
impudence les domestiques ne nous traitent-ils pas dans leur
esprit! Comme ces gens-là vous dégradent[2]! Je ne saurais m'en
remettre; je n'oserais songer aux termes dont elle s'est servie, ils
me font toujours peur[3]. Il s'agit d'un valet! Ah! l'étrange chose!
Écartons l'idée dont cette insolente est venue me noircir l'imagi- [780]
nation[4]. Voici Bourguignon, voilà[5] cet objet[6] en question pour
lequel je m'emporte; mais ce n'est pas sa faute, le pauvre garçon!
et je ne dois pas m'en prendre à lui.

Scène IX. — DORANTE, SILVIA.

DORANTE. — Lisette, quelque éloignement que tu aies pour moi, je
suis forcé de te parler; je crois que j'ai à me plaindre de toi. [785]

SILVIA. — Bourguignon, ne nous tutoyons plus, je t'en prie.

DORANTE. — Comme tu voudras.

SILVIA. — Tu n'en fais pourtant rien.

DORANTE. — Ni toi non plus; tu me dis : *je t'en prie*[7].

SILVIA. — C'est que cela m'est échappé. [790]

DORANTE. — Eh bien, crois-moi, parlons comme nous pourrons; ce
n'est pas la peine de nous gêner pour le peu de temps que nous
avons à nous voir.

SILVIA. — Est-ce que ton maître s'en va? Il n'y aurait pas grande
perte. [795]

DORANTE. — Ni à moi[8] non plus, n'est-il pas vrai? J'achève ta pensée.

SILVIA. — Je l'achèverais bien moi-même, si j'en avais envie; mais je
ne songe pas à toi[9].

DORANTE. — Et moi, je ne te perds point de vue.

SILVIA. — Tiens, Bourguignon, une bonne fois pour toutes, demeure, [800]
va-t'en, reviens, tout cela doit[10] m'être indifférent, et me l'est en

---

1. Au sens propre : Silvia est sur les limites de la crise de nerfs (elle était au bord des larmes à la l. 760). Les personnages du *Jeu* ne sont pas seulement des « caractères » : ils ont un corps. — 2. Au sens propre, dégrader, c'est « destituer quelqu'un d'une dignité, d'un rang d'honneur, qu'il possédait » (*Dict.* de Furetière, 1690). A la scène 1 de l'acte I (l. 18) Lisette avait dit : *Si j'étais votre égale, nous verrions*. — 3. Mot-clé : Silvia a *peur* d'aimer un valet. — 4. On pense au dégoût d'Armande pour le mariage (*Les Femmes savantes*, I, 1, v. 9-14). Mais l'émotion de Silvia s'explique mieux : elle se voit, elle, la noble fille de M. Orgon, dans les bras d'un valet en livrée. — 5. *Voici* annonce l'entrée en scène de Bourguignon; *voilà* commente, avec une emphase ironique et douloureuse, ce qu'est Bourguignon dans l'esprit de Lisette. — 6. Dans la littérature galante des XVIIe et XVIIIe siècles : personne aimée. — 7. Nouvel exemple de jeux d'esprit sur les mots. — 8. Ni à mon propre départ. — 9. Silvia ment-elle? Dans son monologue, elle vient de montrer sa sympathie pour Dorante. Mais la suite des idées est autre : Silvia songe à elle-même, à son étrange situation morale. — 10. Silvia a le sentiment de sa « gloire » comme une héroïne cornélienne. Toutes proportions gardées, elle est dans la même situation que l'Infante devant Rodrigue (*le Cid*) ou Pauline devant Sévère (*Polyeucte*) : le devoir *doit* l'emporter sur le cœur.

effet[1] ; je ne te veux ni bien ni mal ; je ne te hais, ni ne t'aime[2], ni ne t'aimerai, à moins que l'esprit ne me tourne[3]. Voilà mes dispositions[4], ma raison[5] ne m'en permet point d'autres, et je devrais me dispenser de te le dire.   805

DORANTE. — Mon malheur est inconcevable. Tu m'ôtes peut-être tout le repos de ma vie[6].

SILVIA. — Quelle fantaisie[7] il s'est allé mettre[8] dans l'esprit ! Il me fait de la peine. Reviens à toi. Tu me parles, je te réponds ; c'est beaucoup, c'est trop même ; tu peux m'en croire, et, si tu étais   810
instruit, en vérité, tu serais content de moi ; tu me trouverais d'une bonté sans exemple, d'une bonté que je blâmerais dans une autre. Je ne me la[9] reproche pourtant pas ; le fond de mon cœur me rassure, ce que je fais est louable. C'est par générosité que je te parle ; mais il ne faut pas que cela dure ; ces générosités-là ne   815
sont bonnes qu'en passant, et je ne suis pas faite pour me rassurer toujours sur l'innocence de mes intentions ; à la fin, cela ne ressemblerait plus à rien. Ainsi, finissons, Bourguignon ; finissons, je t'en prie. Qu'est-ce que cela signifie ? c'est se moquer ; allons, qu'il n'en soit plus parlé.   820

DORANTE. — Ah ! ma chère Lisette, que je souffre !

---

1. En réalité. — 2. Dans la psychologie amoureuse, l'indifférence est plus loin de l'amour que la haine (voir le *Lac d'indifférence* sur *la Carte de Tendre* : *les Précieuses ridicules*, Bordas, p. 24. — 3. N'est-il pas en train de tourner ? — 4. Mes sentiments. — 5. Encore un mot cornélien. Ne pas oublier que Corneille était un des rares écrivains admirés par Marivaux (voir p. 32). — 6. Dorante ne badine plus. — 7. Imagination. — 8. Place habituelle du réfléchi au XVIIe siècle. Cf. « *Il se faut entr'aider* » (La Fontaine, Fables, VIII, 17). — 9. Rapporter un pronom *(la)* à un nom indéterminé *(une bonté)* était déjà condamné par Vaugelas. Exemple de tour parlé, incorrect mais fort compréhensible.

● **Le monologue** — Étudiez, dans le bref monologue qui constitue la scène 8, les sentiments de Silvia (le brusque passage de la peur à la sympathie). Voyez comment, à l'imagination dégradante (l'état de *valet*), succède la présence réelle de l'homme, qui provoque un revirement. Le ton n'est-il pas presque tragique ? Notez la rareté des monologues dans la comédie.
① Pourquoi le badinage succède-t-il à ce monologue angoissé ?
② L'esprit de Dorante justifie-t-il la critique de Voltaire (lettre à H. Berger, 1736) : « Il ne faut point qu'un personnage de comédie songe à être spirituel ; il faut qu'il soit plaisant malgré lui, et sans croire l'être ; c'est la différence qui doit être entre la comédie et le simple dialogue » ?
③ Analysez la tirade de Silvia (l. 808-820) en distinguant ce qui s'adresse au public, à Dorante et à elle-même.
④ Comparez son revirement et son besoin de se justifier à celui de Pauline (*Polyeucte*, II, 2, v. 496) après le douloureux reproche : « Est-ce là comme on aime, et m'avez-vous aimé ? »

SILVIA. — Venons à ce que tu voulais me dire[1]. Tu te plaignais de moi, quand tu es entré ; de quoi était-il question ?

DORANTE. — De rien, d'une bagatelle ; j'avais envie de te voir, et je crois que je n'ai pris qu'un prétexte[2].   825

SILVIA, *à part.* — Que dire à cela ? Quand je m'en fâcherais, il n'en serait ni plus ni moins.

DORANTE. — Ta maîtresse, en partant, a paru m'accuser de t'avoir parlé au désavantage de mon maître.

SILVIA. — Elle se l'imagine ; et, si elle t'en parle encore, tu peux le 830 nier hardiment ; je me charge du reste.

DORANTE. — Eh ! ce n'est pas cela qui m'occupe.

SILVIA. — Si tu n'as que cela à me dire, nous n'avons plus que faire ensemble.

DORANTE. — Laisse-moi du moins le plaisir de te voir[3].   835

SILVIA. — Le beau motif qu'il me fournit là ! J'amuserai[4] la passion de Bourguignon ! Le souvenir de tout ceci me fera bien rire un jour[5].

DORANTE. — Tu me railles, tu as raison ; je ne sais ce que je dis, ni ce que je te demande. Adieu[6].   840

SILVIA. — Adieu ; tu prends le bon parti... Mais, à propos de tes adieux, il me reste encore une chose à savoir. Vous partez, m'as-tu dit ; cela est-il sérieux ?

DORANTE. — Pour moi, il faut que je parte ou que la tête me tourne[7].

SILVIA. — Je ne t'arrêterais pas pour cette réponse-là, par exemple. 845

DORANTE. — Et je n'ai fait qu'une faute ; c'est de n'être pas parti dès que je t'ai vue[8].

SILVIA, *à part.* — J'ai besoin à tout moment d'oublier que je l'écoute.

DORANTE. — Si tu savais, Lisette, l'état où[9] je me trouve...

SILVIA. — Oh ! il n'est pas si curieux à savoir que le mien, je t'en 850 assure.

---

1. Silvia essaie de détourner la conversation pour éviter une déclaration brûlante ; elle fait retour sur les premiers mots de Dorante : *je crois que j'ai à me plaindre de toi* (l. 785). — 2. Cet aveu, venant d'un beau parleur, touche Silvia, qui ne peut rompre l'entretien, d'où l'*aparté*. Cf. *Polyeucte*, acte II, sc. 1, v. 370 : « Le reste est un prétexte à soulager ma peine. » — 3. Comparer à *Polyeucte*, II, 1, v. 452 : « Laisse-la moi donc voir, soupirer et mourir. » Dans la comédie de Marivaux, comme dans la tragédie de Corneille, la présence exerce une grande influence sur les sens : voir l'éd. *Bordas*, p. 57. — 4. J'occuperai. — 5. Silvia, par amour-propre, essaie de considérer son penchant pour Bourguignon comme une sottise d'un moment. Par l'expression *un jour*, Marivaux prolonge l'intérêt de la pièce au-delà de son dénouement. — 6. Ce faux départ, habituel dans les scènes de dépit amoureux, sert à relancer le conflit des sentiments et à faire triompher l'amour. Ce n'est pas Dorante qui *raille* Silvia, mais elle-même. — 7. Silvia a dit la même chose à la l. 803 : les deux jeunes gens sont aussi troublés l'un que l'autre. — 8. Le compliment exprime un regret sincère. — 9. Dans lequel. Au XVIIIᵉ siècle, l'adverbe *où* avait un emploi beaucoup plus étendu qu'aujourd'hui et ne signifiait pas seulement le lieu ou le temps.

DORANTE. — Que peux-tu me reprocher? Je ne me propose pas de te rendre sensible[1].

SILVIA, *à part*[2]. — Il ne faudrait pas s'y fier.

DORANTE. — Et que pourrais-je espérer en tâchant de me faire aimer? Hélas! quand même je posséderais ton cœur...

SILVIA. — Que le Ciel m'en préserve! quand tu le posséderais, tu ne le saurais pas; et je ferais si bien que je ne le saurais pas moi-même[3]. Tenez, quelle idée il lui vient là!

DORANTE. — Il est donc bien vrai que tu ne me hais, ni ne m'aimes, ni ne m'aimeras?

SILVIA. — Sans difficulté.

DORANTE. — Sans difficulté! Qu'ai-je donc de si affreux?

SILVIA. — Rien; ce n'est pas là[4] ce qui te nuit[5].

DORANTE. — Eh bien! chère Lisette, dis-le-moi cent fois, que tu ne m'aimeras point.

SILVIA. — Oh! je te l'ai assez dit; tâche de me croire.

DORANTE. — Il faut que je le croie! Désespère une passion dange-reuse[6], sauve-moi des effets[7] que j'en crains; tu ne me hais, ni ne m'aimes, ni ne m'aimeras; accable mon cœur de cette certitude-là! J'agis de bonne foi, donne-moi du secours contre moi-même; il m'est nécessaire; je te le demande à genoux.

SCÈNE X. — MONSIEUR ORGON, MARIO, SILVIA, DORANTE.

SILVIA. — Ah! nous y voilà! il ne manquait plus que cette façon-là à mon aventure. Que je suis malheureuse! c'est ma facilité[7] qui lui fait la place là. Lève-toi donc, Bourguignon, je t'en conjure; il peut venir quelqu'un[8]. Je dirai ce qu'il te plaira; que me veux-tu? je ne te hais point. Lève-toi; je t'aimerais, si je pouvais; tu ne me déplais point; cela doit te suffire[9].

---

1. Amoureuse : sens classique dans la langue du xviie et du xviiie siècles. — 2. Quelle est l'importance de cet *aparté* pour l'étude des sentiments? — 3. Est-ce bien sûr? — 4. Style parlé : *là* renforce seulement la négation. — 5. Allusion à la différence de condition sociale. Marivaux posera encore la question dans *le Préjugé vaincu*. — 6. Des conséquences. Le ton de la tirade est celui de la tragédie. En réalité, la *passion* n'est dangereuse que pour l'amour-propre de Dorante. — 7. Complaisance : Silvia se cherche des excuses et évite la vraie raison. — 8. Jeu de scène : M. Orgon et Mario sont entrés et restent silencieux. — 9. Noter la progression de *je ne te hais point* à *je t'aimerais si...*, puis à *tu ne me déplais point*. Pour Dorante, le dernier aveu est essentiel... puisqu'il n'est pas un valet. La *litote* est peut-être un souvenir du *Cid* (III, 4, v. 963) : « Va, je ne te hais point. »

DORANTE. — Quoi! Lisette, si je n'étais pas ce que je suis, si j'étais riche, d'une condition honnête[1] et que je t'aimasse autant que je t'aime, ton cœur n'aurait point de répugnance pour moi[2]? 88

SILVIA. — Assurément.

DORANTE. — Tu ne me haïrais pas? Tu me souffrirais[3]?

SILVIA. — Volontiers[4]. Mais lève-toi.

DORANTE. — Tu parais le dire sérieusement, et, si cela est, ma raison est perdue[5]. 88

SILVIA. — Je dis ce que tu veux, et tu ne te lèves point[6].

MONSIEUR ORGON, *s'approchant*. — C'est bien dommage de vous interrompre; cela va à merveille, mes enfants[7]; courage!

SILVIA. — Je ne saurais empêcher ce garçon de se mettre à genoux, 89 Monsieur. Je ne suis pas en état de lui en imposer[8], je pense.

MONSIEUR ORGON. — Vous vous convenez parfaitement bien tous deux[9]; mais j'ai à te dire un mot, Lisette, et vous reprendrez votre conversation quand nous serons partis. Vous le voulez bien, Bourguignon[10]? 89

DORANTE. — Je me retire, Monsieur.

MONSIEUR ORGON. — Allez, et tâchez de parler de votre maître avec un peu plus de ménagement que vous ne faites.

DORANTE. — Moi, Monsieur!

MARIO. — Vous-même, monsieur Bourguignon; vous ne brillez pas 90 trop dans le respect[11] que vous avez pour votre maître, dit-on.

DORANTE. — Je ne sais ce qu'on veut dire.

MONSIEUR ORGON. — Adieu, adieu; vous vous justifierez une autre fois.

Scène XI. — SILVIA, MONSIEUR ORGON, MARIO.

MONSIEUR ORGON. — Eh bien, Silvia, vous ne nous regardez pas; vous avez l'air tout embarrassé[12]. 90

SILVIA. — Moi, mon père! et où serait le motif de mon embarras? Je suis, grâce au Ciel, comme à mon ordinaire[13]; je suis fâchée de vous dire que c'est une idée[14].

---

1. Honorable (au lieu d'être servile). — 2. C'est déjà presque l'aveu du déguisement. La réponse directe de Silvia comble Dorante de bonheur. De là sa joie de l'entendre répéter. — 3. Supporterais. — 4. Nouvelle progression d'*assurément* à *volontiers*. — 5. Doublement : aux yeux de Silvia, parce qu'il est amoureux ; pour le spectateur, parce qu'il s'est épris de la fausse suivante au point de se déclarer. — 6. Silvia se défend à peine. — 7. Noter l'expression affectueuse : de la part d'un vieux maître indulgent ; de la part aussi d'un père à sa fille et à son futur gendre (cf. I, 6, l. 290 : « *Courage, mes enfants ; si vous commencez à vous aimer...* »). M. Orgon constate lui-même les progrès de l'amour mutuel des jeunes gens. — 8. Commander le respect. Silvia s'adresse à son père; Dorante ne peut comprendre l'allusion. — 9. Encore un mot à double sens : Dorante et Silvia se conviennent aussi bien par le rang que par le cœur. — 10. Comparer la courtoisie de M. Orgon avec la vivacité de Dorante (sc. 4) et de Silvia (sc. 7). — 11. Par le respect. Allusion à la sc. 9, (l. 828) : « Ta maîtresse... a paru m'accuser de t'avoir parlé au désavantage de mon maître ». M. Orgon continue les taquineries amorcées par les instructions données à Lisette. — 12. Indication sur l'attitude de Silvia : le public s'amuse de cet *embarras*. — 13. Affirmation comique : le trouble de Silvia est visible. — 14. Une imagination ; la colère commence.

MARIO. — Il y a quelque chose, ma sœur, il y a quelque chose.

SILVIA. — Quelque chose dans votre tête, à la bonne heure, mon frère ; mais pour dans la mienne[1], il n'y a que l'étonnement de ce que vous dites.

MONSIEUR ORGON. — C'est donc ce garçon qui vient de sortir qui t'inspire cette extrême antipathie que tu as pour son maître ?

SILVIA. — Qui ? le domestique de Dorante[2] ?

MONSIEUR ORGON. — Le galant[3] Bourguignon.

SILVIA. — Le galant Bourguignon, dont je ne savais pas l'épithète, ne me parle pas de lui[4].

---

1. Pour ce qui est de la mienne : le tour elliptique est beaucoup plus vif. — 2. L'étonnement est-il sincère ? — 3. *Galant* : à la fois élégant et empressé près des dames : la posture où était Dorante justifie l'épithète, qui pique Silvia au vif. — 4. *Lui* désigne le maître supposé. C'est exact : le pseudo-valet ne parle que de son amour.

● **La comédie d'analyse** — Étudiez les sentiments dans la scène 9 tout entière ; les alternatives de crainte et d'espoir ; le progrès vers l'union des cœurs.

① Comparez l'effet scénique produit par l'arrivée de M. Orgon et de Mario avec l'intervention de Dorante, puis de Silvia aux scènes 4 et 6. Quelle est la différence ?

② Étudiez le vocabulaire de la scène : termes de galanterie d'une part ; expression sincère de l'amour, d'autre part.

③ Expliquez, discutez et commentez la remarque suivante d'Alphonse Daudet (*Journal officiel*, 1877) : « Quelle délicatesse peureuse dans le cœur de ces deux jeunes gens en lutte contre un amour qu'ils croient avilissant ! »

④ Pensez-vous que la scène 9 mérite la critique suivante (Desboulmiers, 1769) : « De cet abus d'esprit [...] naquirent [...] cet amour des pointes, ces grâces minaudières, ce style alambiqué, qu'on a caractérisés dans ces deux vers :

« Une métaphysique où le jargon domine,
Souvent imperceptible à force d'être fine » ?

⑤ Expliquez et commentez le jugement suivant de Xavier de Courville (*Préface* au *Jeu de l'Amour et du Hasard*) : « Jamais Marivaux n'a poussé plus loin l'art du malentendu, aiguisé l'esprit de ses amants à de plus adroits mensonges, ni révélé leur trouble en de plus subtiles indiscrétions. »

⑥ Quelles sont, selon Dorante, les trois conditions requises pour être aimé de Silvia ?

MONSIEUR ORGON. — Cependant, on prétend que c'est lui qui le détruit[1] auprès de toi, et c'est sur quoi[2] j'étais bien aise de te parler. 920

SILVIA. — Ce n'est pas la peine, mon père ; personne au monde que son maître ne m'a donné l'aversion[3] naturelle que j'ai pour lui.

MARIO. — Ma foi, tu as beau dire, ma sœur ; elle est trop forte pour être naturelle, et quelqu'un y a aidé[4]. 925

SILVIA, *avec vivacité.* — Avec quel air mystérieux vous me dites cela, mon frère ! Et qui est donc ce quelqu'un qui y a aidé ? Voyons.

MARIO. — Dans quelle humeur es-tu, ma sœur ? Comme tu t'emportes[5] !

SILVIA. — C'est que je suis bien lasse de mon personnage[6], et je me 930 serais déjà démasquée, si je n'avais pas craint de fâcher mon père.

MONSIEUR ORGON. — Gardez-vous-en bien, ma fille[7] ; je viens ici pour vous le recommander. Puisque j'ai eu la complaisance de vous permettre votre déguisement, il faut, s'il vous plaît, que vous ayez celle de suspendre votre jugement sur Dorante, et de voir si 935 l'aversion qu'on vous a donnée[8] pour lui est légitime.

SILVIA. — Vous ne m'écoutez donc point, mon père ? Je vous dis qu'on ne me l'a point donnée.

MARIO. — Quoi ! ce babillard qui vient de sortir ne t'a pas un peu dégoûtée[9] de lui ? 940

SILVIA, *avec feu.* — Que vos discours sont désobligeants ! m'a dégoûtée de lui ! dégoûtée ! J'essuie[10] des expressions bien étranges ; je n'entends plus que des choses inouïes, qu'un langage inconcevable ; *j'ai l'air embarrassé, il y a quelque chose ;* et puis c'est le *galant* Bourguignon qui m'a dégoûtée. C'est tout ce qui vous 945 plaira, mais je n'y entends rien.

MARIO. — Pour le coup, c'est toi qui es étrange. A qui en as-tu donc ? D'où vient que tu es si fort sur le qui-vive ? Dans quelle idée[11] nous soupçonnes-tu ?

---

1. Discrédite. — 2. L'ellipse de *ce* (ce sur quoi), quoique condamnée par Vaugelas, s'est maintenue dans la langue du XVIIIᵉ siècle : *c'est ce sur quoi* est lourd et cacophonique. — 3. *Aversion* reprend le mot de M. Orgon (l. 914) : *antipathie.* D'après l'abbé Girard (*Dictionnaire des synonymes,* 1718), « l'aversion a des causes plus connues et l'antipathie en a de plus secrètes ». L'épithète *naturelle* confirme la dénégation de Silvia : *personne au monde...* — 4. Mario prend un air entendu *(mystérieux,* l. 926). — 5. C'est une nouvelle colère de Silvia. Mais, pour calmer ce nouvel accès d'humeur, Silvia n'a pas la possibilité de congédier Mario comme elle avait congédié Lisette à la fin de la sc. 7. — 6. De mon rôle. Cette lassitude est sincère, mais ne s'y mêle-t-il pas un certain plaisir ? — 7. Pourquoi M. Orgon n'arrête-t-il pas le jeu ici ? Celui-ci n'est-il pas cruel pour Silvia ? — 8. M. Orgon reste sur ses positions, et Silvia va exaspérer sa fille. — 9. Ne t'a pas inspiré de la répulsion. Le mot *dégoûter* conserve ici des traces de son origine sensuelle. Le contraire, *avoir du goût* pour quelqu'un (expression employée par Dorante à l'acte III, l. 1158), signifie avoir du penchant. D'où la révolte de Silvia. — 10. Je supporte. Cf. Molière : « La quantité de sottes visites qu'il faut essuyer » *(La Critique de l'École des femmes,* sc. 1). — 11. Intention.

SILVIA. — Courage, mon frère! Par quelle fatalité aujourd'hui ne [950] pouvez-vous me dire un mot qui ne me choque? Quel soupçon voulez-vous qui me vienne? Avez-vous des visions[1]?

MONSIEUR ORGON. — Il est vrai que tu es si agitée[2] que je ne te reconnais point non plus. Ce sont apparemment ces mouvements[3]- [955] là qui sont cause que Lisette nous a parlé comme elle a fait. Elle accusait ce valet de ne t'avoir pas[4] entretenue à l'avantage de son maître, et, « Madame, nous a-t-elle dit, l'a défendu contre moi avec tant de colère que j'en suis encore toute surprise ». C'est sur ce mot de *surprise* que nous l'avons querellée ; mais ces gens-là [960] ne savent pas la conséquence[5] d'un mot.

SILVIA. — L'impertinente! y a-t-il rien de plus haïssable que cette fille-là[6] ? J'avoue que je me suis fâchée par un esprit de justice pour ce garçon.

MARIO. — Je ne vois point de mal à cela[7].

SILVIA. — Y a-t-il rien de plus simple[8]? Quoi! parce que je suis [965] équitable, que je veux qu'on ne nuise à personne, que je veux sauver un domestique du tort qu'on peut lui faire auprès de son maître[9], on dit que j'ai des emportements[10], des fureurs dont on est surprise! Un moment après, un mauvais esprit[11] raisonne, il faut se fâcher, il faut la faire taire, et prendre mon parti contre [970] elle, à cause de la conséquence de ce qu'elle dit! Mon parti[12]! J'ai donc besoin qu'on me défende, qu'on me justifie! On peut donc mal interpréter ce que je fais! Mais que fais-je? de quoi m'accuse-t-on? Instruisez-moi, je vous en conjure ; cela est sérieux. Me joue-t-on? se moque-t-on de moi? Je ne suis pas tranquille[13]. [975]

MONSIEUR ORGON. — Doucement donc !

---

1. Expression aussi forte que : êtes-vous fou? *Avoir des visions* « se prend d'ordinaire en mauvaise part » (*Dictionnaire* de Richelet, 1680). — 2. Troublée, excitée. Le mot s'emploie encore aujourd'hui dans ce sens. — 3. « Se dit des différentes impulsions, passions ou affections de l'âme » *(Dict. de l'Acad.,* 1694). Le mot souligne que l'agitation de Silvia est involontaire. (Cf. «...à cause du mouvement qui m'a échappé » *(Vie de Marianne,* VIe partie). — 4. De ne pas t'avoir. La négation placée devant l'infinitif commençait à vieillir à la fin du XVIIe siècle. M. Orgon est âgé et emploie des tours démodés. — 5. L'importance. — 6. Silvia se libère en se déchaînant contre la trop perspicace Lisette (cf. sc. 6 et 7). Ne pas prendre trop au sérieux sa « haine » (voir les sc. 7 et 8). — 7. L'hypocrite approbation! — 8. Tout est *simple*, en effet, selon le spectateur, pour qui l'amour de Silvia est manifeste ; mais elle cherche à s'aveugler par de faux prétextes. Le mot est donc comique. — 9. Cette prétendue bonté a déjà été alléguée à la sc. 7 (l. 746) : « il n'est pas question de le brouiller avec son maître ». — 10. « *L'emportement* n'exprime proprement qu'un mouvement extérieur [...] qui fait beaucoup de bruit, mais qui passe promptement » (abbé Girard, *Dictionnaire des synonymes,* 1718). Le mot *fureur* dénote « l'agitation violente du dedans » (Vaugelas, *Remarques,* 1647). — 11. Cf. sc. 7 (l. 759) : « Voyez-vous le mauvais esprit! » Silvia revit sa dispute avec Lisette, d'où le pronom *la* : « il faut la faire taire ». — 12. Noter la reprise des mots prononcés par M. Orgon et Mario. Après une accalmie passagère, de nouveau Silvia se monte elle-même dans un flot d'exclamations et d'interrogations. — 13. Effet de contraste saisissant avec le reste de la tirade. Le mot est sincère et touchant.

SILVIA. — Non, Monsieur, il n'y a point de douceur qui tienne. Comment donc! des surprises, des conséquences[1]! Eh! qu'on s'explique! que veut-on dire! On[2] accuse ce valet, et on a tort; vous vous trompez tous, Lisette est une folle, il est innocent, et voilà qui est fini. Pourquoi donc m'en reparler encore? Je suis outrée!

MONSIEUR ORGON. — Tu te retiens, ma fille; tu aurais grande envie de me quereller aussi. Mais, faisons mieux; il n'y a que ce valet qui soit suspect ici, Dorante n'a qu'à le chasser.

SILVIA. — Quel malheureux déguisement[3]! Surtout que Lisette ne m'approche pas; je la hais plus que Dorante[4].

MONSIEUR ORGON. — Tu la verras, si tu veux; mais tu dois être charmée que ce garçon s'en aille; car il t'aime, et cela t'importune assurément[5].

SILVIA. — Je n'ai point à m'en plaindre; il me prend pour une suivante, et il me parle sur ce ton-là; mais il ne me dit pas ce qu'il veut, j'y mets bon ordre[6].

MARIO. — Tu n'en es pas tant la maîtresse que tu le dis bien[7].

MONSIEUR ORGON. — Ne l'avons-nous pas vu se mettre à genoux malgré toi? N'as-tu pas été obligée, pour le faire lever, de lui dire qu'il ne te déplaisait pas?

SILVIA, *à part*. — J'étouffe.

MARIO. — Encore a-t-il fallu, quand il t'a demandé si tu l'aimerais, que tu aies tendrement ajouté : « volontiers »; sans quoi il y serait encore[8].

SILVIA. — L'heureuse apostille[9], mon frère! Mais comme l'action m'a déplu, la répétition n'en est pas aimable. Ah çà, parlons sérieusement, quand finira la comédie que vous vous donnez sur mon compte[10]?

MONSIEUR ORGON. — La seule chose que j'exige de toi, ma fille, c'est de ne te déterminer à le refuser qu'avec connaissance de cause. Attends encore; tu me remercieras[11] du délai que je demande; je t'en réponds.

---

1. Dans son emportement, Silvia reprend toujours les mêmes mots. C'est une véritable obsession. — 2. Remarquer ce pronom indéfini : Silvia ne veut pas s'en prendre directement à son père. — 3. A l'acte I, sc. 2 et 5, quelle joie au contraire de se déguiser! — 4. Pourquoi cet acharnement contre Lisette? — 5. M. Orgon pousse Silvia dans ses derniers retranchements. Va-t-elle avouer son amour? Ce serait un sacrifice excessif pour son amour-propre, et elle se ressaisit. — 6. Pourquoi cette feinte autorité est-elle comique? Le caractère altier de Silvia ne reparaît-il pas bien mal à propos? Silvia, en fait, n'a jamais pu imposer silence au *babillard* (l. 939). Quel est ici le changement de ton et d'attitude de Silvia? — 7. Allusion à la scène précédente, où Silvia n'a pu faire lever Dorante agenouillé à ses pieds (l. 887). — 8. Mario ne passe rien à sa sœur. — 9. Note ajoutée en bas de page et souvent superflue. Ici : redite (d'où le mot *répétition* dans la phrase suivante). — 10. Silvia s'est un peu calmée. Elle reprend ses propres mots des sc. 6 et 7 de l'acte I (l. 313). mais avec des sentiments bien différents. — 11. Sans s'expliquer, M. Orgon veut néanmoins rassurer sa fille.

MARIO. — Tu épouseras Dorante, et même avec inclination[1], je te le 1010
prédis... Mais, mon père, je vous demande grâce pour le valet.

SILVIA. — Pourquoi, grâce ? et moi, je veux qu'il sorte[2].

MONSIEUR ORGON. — Son maître en décidera ; allons-nous-en.

MARIO. — Adieu, adieu, ma sœur ; sans rancune !

SCÈNE XII. — SILVIA, *seule ;* DORANTE, *qui vient peu après.*

SILVIA. — Ah ! que j'ai le cœur serré ! Je ne sais ce qui se mêle à 1015
l'embarras où je me trouve ; toute cette aventure m'afflige[3] : je
me défie de tous les visages ; je ne suis contente de personne, je ne
le suis pas de moi-même[4].

DORANTE. — Ah ! je te cherchais, Lisette.

SILVIA. — Ce n'était pas la peine de me trouver[5], car je te fuis, moi. 1020

DORANTE, *l'empêchant de sortir.* — Arrête donc, Lisette ; j'ai à te parler
pour la dernière fois ; il s'agit d'une chose de conséquence qui
regarde tes maîtres.

SILVIA. — Va le dire à eux-mêmes ; je ne te vois jamais que tu ne me
chagrines ; laisse-moi[6]. 1025

DORANTE. — Je t'en offre autant ; mais, écoute-moi, te dis-je ; tu vas
voir les choses bien changer de face par ce que je te vais dire[7].

SILVIA. — Eh bien, parle donc ; je t'écoute, puisqu'il est arrêté que
ma complaisance pour toi sera éternelle.

DORANTE. — Me promets-tu le secret ? 1030

SILVIA. — Je n'ai jamais trahi personne.

DORANTE. — Tu ne dois la confidence que je vais te faire qu'à l'estime[8]
que j'ai pour toi.

SILVIA. — Je le crois ; mais tâche de m'estimer sans me le dire, car
cela sent le prétexte[9]. 1035

---

1. Amour spontané. Cf. *Polyeucte*, I, 3 :

> « Je donnai par devoir à son affection
> Tout ce que l'autre avait par inclination. »

— 2. Comment expliquer cette contradiction ? — 3. Noter le changement de sentiment de
Silvia dès qu'elle est en face de Dorante : *embarras, affliction* même. Le combat entre
l'amour et l'amour-propre devient de plus en plus pénible. — 4. Antithèse entre *personne*
et *moi-même*. Les soucis de Silvia n'altèrent ni sa lucidité, si non son esprit. — 5. Nouvelle
antithèse entre *cherchais* et *trouver* : ici, l'esprit s'efforce de cacher l'émotion. — 6. Après
le badinage, l'entretien sérieux commence. — 7. Le public attend l'aveu du déguisement.
Silvia est intriguée, mais ne devine pas encore, bien qu'à la scène 10 (l. 880), Dorante ait
déjà fait prévoir qu'il était de « condition honnête ». — 8. De même que chez Corneille,
les personnages ne peuvent s'aimer que s'ils s'estiment. — 9. Dorante (sc. 9, l. 825) a
déjà avoué qu'il inventait des prétextes pour s'entretenir avec Silvia. Celle-ci lui renvoie
l'argument.

DORANTE. — Tu te trompes, Lisette. Tu m'as promis le secret : achevons. Tu m'as vu dans de grands mouvements[1] ; je n'ai pu me défendre[2] de t'aimer.

SILVIA. — Nous y voilà. Je me défendrai bien de t'entendre, moi ! Adieu.   1040

DORANTE. — Reste : ce n'est plus Bourguignon qui te parle.

SILVIA. — Eh ! qui es-tu donc ?

DORANTE. — Ah ! Lisette, c'est ici où tu vas juger des peines[3] qu'a dû ressentir mon cœur !

SILVIA. — Ce n'est pas à ton cœur que je parle : c'est à toi.   1045

DORANTE. — Personne ne vient-il ?

SILVIA. — Non.

DORANTE. — L'état où sont les choses me force à te le dire ; je suis trop honnête homme[4] pour n'en pas arrêter[5] le cours.

SILVIA. — Soit.   1050

DORANTE. — Sache que celui qui est avec ta maîtresse n'est pas ce qu'on pense.

SILVIA, *vivement.* — Qui est-il donc ?

DORANTE. — Un valet[6].

SILVIA. — Après.   1055

DORANTE. — C'est moi qui suis Dorante.

SILVIA, *à part.* — Ah ! je vois clair dans mon cœur[7].

DORANTE. — Je voulais sous cet habit pénétrer[8] un peu ce que c'était que ta maîtresse, avant de l'épouser. Mon père, en partant[9], me permit ce que j'ai fait[10], et l'événement[11] m'en paraît un songe. 1060 Je hais la maîtresse dont je devais être l'époux, et j'aime la suivante qui ne devait trouver en moi qu'un nouveau maître. Que faut-il que je fasse à présent ? Je rougis pour elle de le dire, mais ta maîtresse a si peu de goût qu'elle est éprise de mon valet au point qu'elle l'épousera si on la laisse faire. Quel parti prendre ? 1065

SILVIA, *à part.* — Cachons-lui qui je suis... *(Haut.)* Votre situation est neuve assurément ! Mais, Monsieur, je vous fais d'abord mes excuses de tout ce que mes discours ont pu avoir d'irrégulier dans nos entretiens.

DORANTE, *vivement.* — Tais-toi, Lisette ; tes excuses me chagrinent, 1070 elles me rappellent la distance qui nous sépare, et ne me la rendent que plus douloureuse.

---

1. Voir p. 83, n. 3. — 2. M'empêcher. — 3. Dues au combat entre l'amour et l'amour-propre. — 4. Homme du monde et homme de bien. — 5. Pour ne pas en arrêter. — 6. Le nom importe peu ; c'est la condition sociale qui compte. — 7. Silvia se sent justifiée. Comme les héroïnes classiques, elle a horreur du trouble et de la confusion. — 8. Découvrir. Silvia (I, 2, l. 157) avait dit : « l'examiner un peu ». — 9. Quand je partis ; survivance de l'emploi du gérondif avec un sujet différent de celui de la proposition principale. — 10. Rappel important pour le public... et surtout pour Silvia : la situation de Dorante est identique à la sienne. — 11. L'issue, le résultat. Dès l'acte I, sc. 9, Dorante ne savait plus où il en était.

Relevez-en les principaux mouvements, tous produits par les brusques changements de sentiment de Silvia.
Quels traits du caractère fondamental de Silvia découvre-t-on dans cette scène?

① Pensez-vous que cette scène justifie le mot de V.-L. Saulnier : « L'effort [de Dorante et de Silvia] est de traduire le plus longtemps possible en verbe cornélien une âme racinienne »?

● **Structure de la scène**

② Montrez que les différents mouvements de la scène dépendent uniquement des sentiments de Silvia, ceux-ci étant surexcités par M. Orgon et Mario.

● **Les sentiments** — Que révèlent les alternatives de colère et de brusque apaisement chez Silvia? Ne sont-ce pas des formes opposées du même sentiment? Pourquoi les rôles de M. Orgon et de Mario ont-ils été étoffés?

③ Comparez les taquineries de Mario à celles de M. Orgon. Sont-elles une simple répétition?

● **Les effets comiques** — En dehors du dialogue vivant et spirituel, Silvia est en situation de dupe vis-à-vis de son père et de Mario. Elle se trouve placée dans un état d'infériorité qui divertit le public.

④ Montrez cependant que Silvia n'est pas ridicule.

⑤ Pourquoi Mario corrige-t-il lui-même (*Tu épouseras Dorante*, et même avec inclination : l. 1010) l'effet de ses railleries?

● **L'action**

⑥ Comment cette scène fait-elle avancer l'action en éclairant Silvia sur ses propres sentiments?

● **Le style** — Étudiez les tours spirituels — notamment le commentaire du vocabulaire par les personnages eux-mêmes, les reprises, les mots à intentions doubles.

⑦ Montrez en quoi consiste la « préciosité » de Silvia dans le commentaire qu'elle fait des propos de Mario.

⑧ La préciosité des termes nuit-elle à la vivacité du dialogue?

⑨ Xavier de Courville compare (préface au *Jeu de l'Amour et du Hasard*) la fin de l'acte II à « une sorte de chasse, où les amants ne disent leur amour que traqués par un jeu cruel qui a épuisé leurs nerfs autant que leur esprit ; le hallali de Silvia, c'est la fin du deuxième acte ».
De son côté, Marcel Arland (introduction à l'édition de la Pléiade) déclare : « Nul repos ; tout geste, toute parole, le temps qui dure ou va trop vite, apporte aux amants une meurtrissure. Il ne suffit pas que Silvia rougisse d'aimer, il faut qu'une soubrette, un frère, un père voient sa honte. »
Marivaux mériterait-il, comme Racine, l'épithète de « cruel » plutôt que celle de « tendre »?

SILVIA. — Votre penchant pour moi est-il sérieux? m'aimez-vous jusque-là?

DORANTE. — Au point de renoncer à tout engagement[1] puisqu'il ne [1075] m'est pas permis d'unir mon sort au tien; et, dans cet état, la seule douceur que je pouvais goûter[2], c'était de croire que tu ne me haïssais pas.

SILVIA. — Un cœur qui m'a choisie dans la condition où je suis est assurément bien digne qu'on l'accepte, et je le payerais volontiers [1080] du mien si je ne craignais pas de le jeter dans un engagement qui lui ferait tort[3].

DORANTE. — N'as-tu pas assez de charmes[4], Lisette? y ajoutes-tu encore la noblesse avec laquelle tu me parles?

SILVIA. — J'entends quelqu'un. Patientez encore sur l'article de[5] [1085] votre valet; les choses n'iront pas si vite; nous nous reverrons, et nous chercherons les moyens de vous tirer d'affaire.

DORANTE. — Je suivrai tes conseils. (*Il sort.*)

SILVIA. — Allons, j'avais grand besoin que ce fût là Dorante[6].

Scène XIII. — SILVIA, MARIO.

MARIO. — Je viens te retrouver, ma sœur. Nous t'avons laissée dans [1090] des inquiétudes qui me touchent; je veux t'en tirer; écoute-moi[7].

SILVIA, *vivement.* — Ah! vraiment, mon frère, il y a bien d'autres nouvelles[8]!

MARIO. — Qu'est-ce que c'est?

SILVIA. — Ce n'est point Bourguignon, mon frère; c'est Dorante. [1095]

MARIO. — Duquel parlez-vous donc?

SILVIA. — De lui, vous dis-je; je viens de l'apprendre tout à l'heure[9]. Il sort; il me l'a dit lui-même.

MARIO. — Qui donc?

SILVIA. — Vous ne m'entendez[10] donc pas? [1100]

---

1. Engagement sentimental, mariage : sens nouveau introduit au XVIIe siècle. — 2. Dorante justifie sa mélancolie, qui n'était pas une feinte amoureuse. Noter la litote : « tu ne me haïssais pas » (cf. sc. 10, l. 877). — 3. Silvia joue encore la comédie, pour mieux s'imposer à Dorante. Dans la *Vie de Marianne* (IVe partie), c'est aussi la jeune fille (orpheline et sans fortune) qui décourage le jeune homme : « Comment pouvez-vous espérer que je consente à un amour qui vous attirerait le blâme de tout le monde, qui vous brouillerait avec toute une famille ? » Tant de noblesse met le comble à l'amour du jeune noble, et attendrit sa mère. — 4. Sens étymologique : pouvoir mystérieux. Le mot est plus fort qu'*attraits*. — 5. Au sujet de. Noter que Dorante continue à tutoyer Silvia, tandis que celle-ci a repris le *vous* de politesse, aussitôt après l'aveu. — 6. Ce soupir de soulagement montre combien l'amour de Silvia était profond, en dépit de son amour-propre. — 7. L'intervention de Mario s'explique : le jeu était pénible pour Silvia plus encore que pour Dorante. — 8. Silvia est complètement transformée par l'aveu de Dorante. — 9. A l'instant. — 10. Comprenez.

MARIO. — Si j'y comprends rien, je veux mourir.

SILVIA. — Venez, sortons d'ici ; allons trouver mon père, il faut qu'il le sache. J'aurai besoin de vous aussi, mon frère. Il me vient de nouvelles idées ; il faudra feindre de m'aimer. Vous en avez déjà dit quelque chose en badinant[1], mais surtout gardez bien le secret, 1105 je vous prie...

MARIO. — Oh! je le garderai bien, car je ne sais ce que c'est.

SILVIA. — Allons, mon frère, venez ; ne perdons point de temps. Il n'est jamais rien arrivé d'égal à cela[2].

MARIO. — Je prie le ciel qu'elle n'extravague pas. 1110

---

1. Rappel de l'acte I, sc. 6 (l. 293). — 2. Dorante (I, 7, l. 421) avait dit : « Notre aventure est unique ». L'amour-propre de Silvia se réveille, mais sa joie est si sincère qu'il ne choque pas.

● **Le marivaudage** — Analysez dans l'acte II l'évolution des sentiments de Dorante et de Silvia.
① Montrez comment les deux couples d'amoureux sont tour à tour présentés.
② Relevez les effets comiques, depuis le sourire amené par l'esprit, jusqu'au rire suscité par le ridicule.
③ Notez les variations de rythme dans le dialogue ; la vivacité des répliques reflète l'esprit des personnages.

● **L'aveu de Dorante** — Quelle est l'importance de l'aveu de Dorante à la ligne 1056 ? Y a-t-il là un vrai coup de théâtre ? Pourquoi est-il normal que Dorante se déclare le premier ? Pourquoi l'aveu est-il insuffisant aux yeux de Silvia ?

④ Étudiez, dans la scène 12, le mélange d'esprit et de sentiment.

⑤ Dans quelle mesure la scène 12 justifie-t-elle l'opinion suivante de Sainte-Beuve *(Causeries du Lundi)* : « Marivaux met la difficulté et le nœud dans le scrupule même, dans la curiosité, la timidité ou l'ignorance, ou dans l'amour-propre et le point d'honneur piqué des amants. Souvent, ce n'est qu'un simple malentendu qu'il file adroitement et qu'il prolonge » ?

⑥ Pensez-vous, comme *le Mercure* (avril 1730), que la comédie pouvait s'arrêter au second acte, et que « la raison qui empêche Silvia de se découvrir après avoir appris que Bourguignon était Dorante, n'étant qu'une petite vanité, ne saurait excuser son silence » ? Montrez que cette *vanité* est préparée dès la scène 5 de l'acte I, et qu'elle compte beaucoup pour le bonheur de Silvia.

⑦ En dehors de la peinture des sentiments, que manque-t-il pour que l'intrigue soit achevée à la fin de l'acte II ?

ACTE III

Scène première. — DORANTE, ARLEQUIN.

ARLEQUIN. — Hélas! Monsieur, mon très honoré maître, je vous en conjure[1]...

DORANTE. — Encore!

ARLEQUIN. — Ayez compassion de ma bonne aventure; ne portez point guignon[2] à mon bonheur qui va son train si rondement; ne lui fermez point le passage[3].

DORANTE. — Allons donc, misérable; je crois que tu te moques de moi; tu mériterais cent coups de bâton[4].

ARLEQUIN. — Je ne les refuse point, si je les mérite, mais quand je les aurai reçus, permettez-moi d'en mériter d'autres. Voulez-vous que j'aille chercher le bâton[5]?

DORANTE. — Maraud[6]!

ARLEQUIN. — Maraud, soit; mais cela n'est point contraire à faire fortune.

DORANTE. — Ce coquin! quelle imagination lui prend!

ARLEQUIN. — Coquin est encore bon; il me convient aussi; un maraud n'est point déshonoré d'être appelé coquin; mais un coquin peut faire un bon mariage[7].

DORANTE. — Comment, insolent! tu veux que je laisse un honnête homme[8] dans l'erreur, et que je souffre[9] que tu épouses sa fille sous mon nom? Écoute; si tu me parles encore de cette impertinence-là[10], dès que j'aurai averti M. Orgon de ce que tu es, je te chasse; entends-tu?

ARLEQUIN. — Accommodons[11]-nous; cette demoiselle m'adore, elle m'idolâtre[12]. Si je lui dis mon état de valet, et que, nonobstant, son tendre cœur soit toujours friand[13] de la noce avec moi, ne laisserez-vous pas jouer les violons[14]?

DORANTE. — Dès qu'on te reconnaîtra, je ne m'en embarrasse plus[15].

---

1. Supplications d'une exagération comique. — 2. Arlequin entremêle les expressions nobles *(compassion)* et les locutions familières *(porter guignon)*. Ce mélange de style est caractéristique du langage des valets chez Regnard et chez Marivaux. Cf. *la Double Inconstance* (II, 6) : « J'ai donc bien du guignon ». — 3. Contraste comique entre le mot abstrait *mon bonheur* et l'image concrète *fermer le passage*. — 4. Les coups de bâton sont traditionnels dans les farces gauloises et dans les comédies italiennes. — 5. La bonne humeur fait partie du caractère du valet italien (cf. *les Fourberies de Scapin*). Dans la comédie italienne, Arlequin a toujours la batte passée à la ceinture : il n'a donc pas loin pour trouver un *bâton*. — 6. Injure habituelle des maîtres aux serviteurs : « Quoi! je vous vois, maraude? » *(Les Femmes savantes*, II, 6, v. 428). — 7. Ce que fera Jacob dans *Paysan parvenu*. — 8. Au sens du XVIIe siècle : homme du monde et homme de bien. — 9. Permette. — 10. Inconvenance. Le mot n'est pas trop fort : ce serait un abus de confiance. — 11. Mettons-nous d'accord. — 12. Relever la progression entre *adore* et *idolâtre*. — 13. L'image tirée du goût était banale, mais elle convient particulièrement bien à la gourmandise proverbiale d'Arlequin (cf. la métaphore de l'acte II, sc. 3, l. 603 « comme du vin délicieux »). — 14. Locution familière : ne laisserez-vous pas la noce s'accomplir? Naguère, les *violons* (violonistes) animaient les bals et les noces. — 15. Dorante ne se préoccupe aucunement de la pseudo-Silvia.

ARLEQUIN. — Bon ; je vais de ce pas prévenir cette généreuse personne sur mon habit de caractère[1]. J'espère que ce ne sera pas un 1140 galon de couleur[2] qui nous brouillera ensemble, et que son amour me fera passer à la table en dépit du sort qui ne m'a mis qu'au buffet[3].

SCÈNE II. — DORANTE, *seul, et ensuite* MARIO.

DORANTE. — Tout ce qui se passe ici, tout ce qui m'y est arrivé à moi-même, est incroyable... Je voudrais pourtant bien voir 1145 Lisette, et savoir le succès[4] de ce qu'elle m'a promis de faire auprès de sa maîtresse pour me tirer d'embarras[5]. Allons voir si je pourrai la trouver seule.

MARIO. — Arrêtez, Bourguignon : j'ai un mot à vous dire.

DORANTE. — Qu'y a-t-il pour votre service, Monsieur ? 1150

MARIO. — Vous en contez à[6] Lisette ?

DORANTE. — Elle est si aimable qu'on aurait de la peine à ne lui pas parler[7] d'amour.

---

1. Voir *la Langue*. — 2. Les galons de couleur de la livrée. — 3. Encore des images tirées du goût, et aussi des mœurs du temps : les laquais sont près du buffet pour servir à boire, tandis que les maîtres sont à table. Cf. Regnard, *Attendez-moi sous l'orme*, sc. 1, où se trouve déjà l'antithèse entre *buffet* et *table*. — 4. Le résultat. — 5. Rappel de la fin de la sc. 12, acte II (l. 1087) : « Nous chercherons les moyens de vous tirer d'affaire ». — 6. Vous courtisez. — 7. A ne pas lui parler...

■■■

● **Les mœurs** — *Maraud, soit ; mais cela n'est point contraire à faire fortune*, réplique Arlequin à Dorante : l. 1123. Il joue au moraliste et nous rappelle ce que disait La Bruyère de Sosie (*Les Caractères*, VI, 15) : « Sosie, de la livrée, a passé par une petite recette à une sous-ferme... » Les *clefs* citent d'anciens valets devenus financiers. Lesage, dans son *Turcaret* (1709), avait raillé cette ascension suspecte ; et Marivaux composera, sur un thème voisin, *le Paysan parvenu*.

● **La langue** — Comme Fontenelle, Marivaux emploie volontiers le complément de caractérisation, en créant des néologismes, souvent avec une nuance d'euphémisme : *camarade de ménage*, pour : mari (*le Paysan parvenu*, chap. 8) ; *soldats d'antichambre*, pour : laquais (*le Jeu*, III, 6, l. 1389). L'expression *habit de caractère* (habit caractérisant Arlequin), mise pour : livrée (*le Jeu*, l. 1140), a son pendant dans *Arlequin poli par l'amour* (sc. 1) : *habit de conquête*, c'est-à-dire capable de faire une conquête.

① Quels traits cette scène ajoute-t-elle au caractère de Dorante ?
② Comment manifeste-t-elle la bonne humeur d'Arlequin ?
③ Quelle est l'importance de cette scène pour l'action ?
④ Comparez cette scène à la scène 1 de l'acte II, entre M. Orgon et Lisette. Montrez en quoi elle constitue une réplique et soulignez la différence dans les caractères et le langage.

■■■

MARIO. — Comment reçoit-elle ce que vous lui dites? 1155

DORANTE. — Monsieur, elle en badine.

MARIO. — Tu as de l'esprit; ne fais-tu pas l'hypocrite[1]?

DORANTE. — Non; mais qu'est-ce que cela vous fait? Supposé que Lisette eût du goût pour moi...

MARIO. — Du goût pour lui! où prenez-vous vos termes? Vous avez le langage bien précieux[2] pour un garçon de votre espèce. 1160

DORANTE. — Monsieur, je ne saurais parler autrement.

MARIO. — C'est apparemment avec ces petites délicatesses-là[3] que vous attaquez[4] Lisette? Cela imite l'homme de condition[5].

DORANTE. — Je vous assure, Monsieur, que je n'imite personne[6], mais, sans doute, vous ne venez pas exprès pour me traiter de 1165 ridicule et vous aviez autre chose à me dire? Nous parlions de Lisette, de mon inclination pour elle et de l'intérêt que vous y prenez.

MARIO. — Comment, morbleu[7]! il y a déjà un ton de jalousie[8] dans ce que tu me réponds! Modère-toi un peu. Eh bien! tu me disais 1170 qu'en supposant que Lisette eût du goût pour toi... après?

DORANTE. — Pourquoi faudrait-il que vous le sussiez[9], Monsieur?

MARIO. — Ah! le voici: c'est que, malgré le ton badin que j'ai pris tantôt[10], je serais très fâché qu'elle t'aimât; c'est que, sans autre raisonnement, je te défends de t'adresser davantage à elle; non 1175 pas dans le fond que je craigne qu'elle t'aime, elle me paraît avoir le cœur trop haut pour cela; mais c'est qu'il me déplaît, à moi, d'avoir Bourguignon pour rival.

DORANTE. — Ma foi, je vous crois; car Bourguignon, tout Bourguignon qu'il est, n'est pas même content que vous soyez le sien. 1180

MARIO. — Il prendra patience.

DORANTE. — Il faudra bien; mais, Monsieur, vous l'aimez donc beaucoup?

MARIO. — Assez pour m'attacher sérieusement à elle dès que j'aurai pris de certaines mesures[11]. Comprends-tu ce que cela signifie? 1185

---

1. Mario sait à quoi s'en tenir sur les sentiments de Dorante et de Silvia. — 2. Déjà Mario s'était étonné du langage choisi du pseudo-valet (I, 6, l. 300) et il l'avait taquiné à ce sujet. — 3. L'emploi du pluriel du mot abstrait dans le sens du concret (ces petites choses délicates) appartient à la langue précieuse. — 4. Cherchez à séduire. — 5. Dorante ne peut comprendre l'ironie de Mario, mais le public, averti, la goûte. — 6. Dorante reprend les termes de Mario, avec esprit mais non sans irritation. Après avoir rudoyé son valet, Dorante a de la peine à reprendre son rôle et à supporter l'ironie de Mario. — 7. Les hommes de qualité ont l'habitude de jurer. Cf. les petits marquis de Molière : « Parbleu! je viens du Louvre... » (*Le Misanthrope*, II, 5). Alceste lui-même : « Morbleu! faut-il que je vous aime? » (II, 1, v. 514). — 8. Néologisme : voir *la Langue*, p. 91. La remarque de Mario est une indication scénique pour son partenaire ; en même temps, elle explique les sentiments de Dorante aux spectateurs. — 9. La délicatesse de Dorante est froissée par l'insistance de Mario : les affaires de cœur ne regardent pas les maîtres. Le subjonctif *sussiez* n'appartient pas au langage des valets, mais au XVIIIe siècle. — 10. Allusion à l'acte I, sc. 6, l. 304 : « Je te défends d'avoir tant d'esprit ». — 11. Aujourd'hui, on omet *de* devant *certain*. Ces *certaines mesures* sont un projet de mariage fictif. L'intention est double : piquer la jalousie de Dorante, et lui suggérer de proposer le mariage à Silvia sous ses habits de soubrette, ce que celle-ci souhaite.

DORANTE. — Oui, je crois que je suis au fait ; sur ce pied-là[1] vous êtes aimé sans doute ?

MARIO. — Qu'en penses-tu ? Est-ce que je ne vaux pas la peine de l'être ?

DORANTE. — Vous ne vous attendez pas à être loué par vos propres rivaux, peut-être[2] ? 1190

MARIO. — La réponse est de bon sens, je te la pardonne ; mais je suis bien mortifié[3] de ne pouvoir pas dire qu'on m'aime, et je ne le dis pas pour t'en rendre compte[4], comme tu le crois bien ; mais c'est qu'il faut dire la vérité.

DORANTE. — Vous m'étonnez, Monsieur ; Lisette ne sait donc pas 1195 vos desseins ?

MARIO. — Lisette sait tout le bien que je lui veux et n'y paraît pas sensible[5], mais j'espère que la raison me gagnera son cœur. Adieu, retire-toi sans bruit. Son indifférence pour moi, malgré tout ce que je lui offre, doit te consoler du sacrifice que tu me 1200 feras... Ta livrée n'est pas propre à faire pencher la balance en ta faveur, et tu n'es pas fait pour lutter contre moi[6].

SCÈNE III. — SILVIA, DORANTE, MARIO.

MARIO. — Ah ! te voilà, Lisette ?

SILVIA. — Qu'avez-vous, Monsieur ? vous me paraissez ému[7].

MARIO. — Ce n'est rien ; je disais un mot à Bourguignon. 1205

SILVIA. — Il est triste ; est-ce que vous le querelliez[8] ?

DORANTE. — Monsieur m'apprend qu'il vous[9] aime, Lisette.

SILVIA. — Ce n'est pas ma faute.

---

1. Dans ces conditions. Dorante se souvient de la « prédiction » faite à Silvia, qu'elle n'épouserait qu'un homme noble (I, 7, l. 349). De là son amertume et son interrogation. — 2. Même angoissé, Dorante ne perd pas son esprit, qui est souligné par la réplique de Mario : *La réponse est de bon sens.* — 3. Métaphore tirée de la langue médicale (*mortifier* : causer la mort). Au sens d'*humilié*, elle est fréquente chez Marivaux et ses contemporains (Lesage, Regnard). — 4. Ce serait contraire à sa supériorité sociale. — 5. Elle n'en est pas touchée. — 6. Rappel de l'acte I, sc. 7, l. 340 : « je ne suis point faite aux cajoleries de ceux dont la garde-robe ressemble à la tienne ». — 7. Indication scénique importante : alors que Mario et Silvia jouent la comédie, Dorante est irrité et jaloux. — 8. Réprimandiez. — 9. Le *vous* souligne le mécontentement de Dorante.

● **L'action** — Comment Mario joue-t-il son rôle ? La morgue, la dureté qu'il affecte sont-elles dans son caractère ?

① Relevez les traits qui tourmentent Dorante et ceux qui le réconfortent.

② Pourquoi Dorante continue-t-il à jouer son rôle de valet, alors qu'il s'est démasqué devant Silvia ?

③ Imaginez que Dorante et Mario, devenus beaux-frères, rappellent le souvenir de cette feinte rivalité ; faites-les dialoguer.

DORANTE. — Et me défend de vous aimer.

SILVIA. — Il me défend donc de vous paraître aimable ? · 1217

MARIO. — Je ne saurais empêcher qu'il ne t'aime, belle Lisette ; mais je ne veux pas qu'il te le dise.

SILVIA. — Il ne me le dit plus ; il ne fait que me le répéter.

MARIO. — Du moins ne te le répétera-t-il pas quand je serai présent. Retirez-vous, Bourguignon[1]. 1221

DORANTE. — J'attends qu'elle me l'ordonne.

MARIO. — Encore !

SILVIA. — Il dit qu'il attend ; ayez donc patience.

DORANTE. — Avez-vous de l'inclination pour Monsieur ?

SILVIA. — Quoi ! de l'amour[2] ? oh ! je crois qu'il ne sera pas néces- 1226 saire qu'on me le défende.

DORANTE. — Ne me trompez-vous pas ?

MARIO. — En vérité, je joue ici un joli personnage ! Qu'il sorte donc ! A qui est-ce que je parle ?

DORANTE. — A Bourguignon, voilà tout. 1228

MARIO. — Eh bien, qu'il s'en aille !

DORANTE, *à part.* — Je souffre !

SILVIA. — Cédez puisqu'il se fâche.

DORANTE, *bas à Silvia.* — Vous ne demandez peut-être pas mieux ?

MARIO. — Allons, finissons. 1236

DORANTE. — Vous ne m'aviez pas dit cet amour-là, Lisette.

SCÈNE IV. — MONSIEUR ORGON, MARIO, SILVIA.

SILVIA. — Si je n'aimais pas cet homme-là, avouons que je serais bien ingrate.

MARIO, *riant.* — Ah ! ah ! ah ! ah !

MONSIEUR ORGON. — De quoi riez-vous, Mario ? 1238

MARIO. — De la colère de Dorante qui sort, et que j'ai obligé de quitter Lisette.

SILVIA. — Mais que vous a-t-il dit dans le petit entretien que vous avez eu tête à tête avec lui ?

MARIO. — Je n'ai jamais vu d'homme ni plus intrigué[4], ni de plus 1240 mauvaise humeur.

---

1. La rivalité de Dorante et de Mario, devant Silvia, est beaucoup plus vive que dans la scène précédente. Dorante, pris par son personnage, ne peut défier son adversaire que par l'esprit ; Mario, invoque, lui, l'autorité du maître. — 2. Noter la différence entre *inclination* et *amour*. Silvia rassure Dorante. — 3. Déjà à l'acte II, sc. 9, l. 821, Dorante avait dit : « Ah ! ma chère Lisette, que je souffre ! » Le badinage, chez lui, est superficiel. — 4. Soucieux.

Geneviève Casile (Silvia) et Jacques Toja (Dorante)

Dorante. — *Ne gênez donc plus votre tendresse, et laissez-la répondre.*

(III, 9, l. 1587-1588)

MONSIEUR ORGON. — Je ne suis pas fâché qu'il soit la dupe de son propre stratagème; d'ailleurs, à le bien prendre, il n'y a rien de plus flatteur ni de plus obligeant pour lui[1] que tout ce que tu as fait jusqu'ici, ma fille; mais en voilà assez.

MARIO. — Mais où en est-il précisément, ma sœur?

SILVIA. — Hélas! mon frère, je vous avoue que j'ai lieu d'être contente.

MARIO. — Hélas! mon frère, dit-elle. Sentez-vous cette paix douce[2] qui se mêle à ce qu'elle dit?

MONSIEUR ORGON. — Quoi! ma fille, tu espères qu'il ira jusqu'à t'offrir sa main dans le déguisement où te voilà[3]?

SILVIA. — Oui, mon cher père, je l'espère.

MARIO. — Friponne que tu es! avec ton *cher père*, tu ne nous grondes plus à présent, tu nous dis des douceurs.

SILVIA. — Vous ne me passez rien.

MARIO. — Ah! ah! je prends ma revanche; tu m'as tantôt[4] chicané sur mes expressions; il faut bien à mon tour que je badine un peu sur les tiennes; ta joie est bien aussi divertissante que l'était ton inquiétude.

MONSIEUR ORGON. — Vous n'aurez point à vous plaindre de moi, ma fille; j'acquiesce à tout ce qui vous plaît.

SILVIA. — Ah! Monsieur, si vous saviez combien je vous aurai d'obligation! Dorante et moi, nous sommes destinés l'un à l'autre. Il doit m'épouser; si vous saviez combien je lui tiendrai compte de ce qu'il fait aujourd'hui pour moi, combien mon cœur gardera le souvenir de l'excès de tendresse qu'il me montre! si vous saviez combien tout ceci va rendre notre union aimable[5]! Il ne pourra jamais se rappeler notre histoire sans m'aimer; je n'y songerai jamais que je ne l'aime. Vous avez fondé notre bonheur pour la vie, en me laissant faire; c'est un mariage unique; c'est une aventure dont le seul récit est attendrissant; c'est le coup de hasard le plus singulier[6], le plus heureux, le plus...

MARIO. — Ah! ah! ah! que ton cœur a de caquet[7], ma sœur! quelle éloquence!

MONSIEUR ORGON. — Il faut convenir que le régal[8] que tu te donnes est charmant, surtout si tu achèves.

SILVIA. — Cela vaut fait[9], Dorante est vaincu; j'attends mon captif.

---

1. Dorante n'a-t-il pas distingué la maîtresse de la soubrette, malgré leur déguisement? De plus, il a pu montrer sa loyauté et son désintéressement. Mais le *jeu* doit cesser. — 2. Indication importante : Silvia a été successivement préoccupée, surprise, émue, emportée, angoissée, avant d'avoir gagné cette *paix douce* résultant de l'accord entre l'amour et l'amour-propre. — 3. C'est le sujet même de l'acte III : Dorante a encore une étape à franchir. — 4. Tout à l'heure. Un retournement de situation produit toujours un effet comique. Le mot *badine*, dans la phrase suivante, donne le ton de l'entretien. — 5. Au sens fort : digne d'amour. — 6. Extraordinaire. — 7. Le mot familier contraste avec *éloquence* : le ton reste souriant. — 8. Divertissement. — 9. C'est chose faite. Noter les métaphores galantes qui suivent : *vaincu, captif, fers.*

MARIO. — Ses fers seront plus dorés qu'il ne pense, mais je lui crois l'âme en peine, et j'ai pitié de ce qu'il souffre.

SILVIA. — Ce qui lui en coûte à se déterminer ne me le rend que plus ¹²⁸⁰ estimable. Il pense qu'il chagrinera son père en m'épousant ; il croit trahir¹ sa fortune et sa naissance. Voilà de grands sujets de réflexions² ; je serais charmée de triompher. Mais il faut que j'arrache ma victoire, et non pas qu'il me la donne ; je veux un combat entre l'amour et la raison³. ¹²⁸⁵

MARIO. — Et que la raison y périsse.

MONSIEUR ORGON. — C'est-à-dire que tu veux qu'il sente toute l'étendue de l'impertinence⁴ qu'il croira faire. Quelle insatiable vanité d'amour-propre⁵ !

MARIO. — Cela, c'est l'amour-propre d'une femme ; et il est tout au ¹²⁹⁰ plus uni⁶.

---

1. Déroger à. — 2. Tous les personnages de Marivaux réfléchissent sur leur situation et commentent leurs sentiments. Voir *la Vie de Marianne*, où les *réflexions* sont encore beaucoup plus nombreuses. — 3. C'est le sujet même de la pièce. Mais ce qui est *combat* pour Silvia est *jeu* pour le spectateur. — 4. Acte déraisonnable. — 5. Nouvel emploi du génitif de caractérisation (Voir *la Langue*, p. 91), qui donne du relief à l'expression : *l'amour-propre* (légitime) conduit à la *vanité* (excessive). — 6. Les éditions postérieures à la première donnent : « Il est tout des plus unis ». La remarque de Mario souligne la vanité et la coquetterie féminines, analysées très longuement dans *la Vie de Marianne*.

■■■

● **Le marivaudage** — Le badinage du début de la scène 3 rappelle celui de l'acte I, scène 6, mais la situation était autre : Dorante, lui aussi, badinait : « C'est dans ses yeux que je l'ai prise... » Notez les jeux d'esprit : *dire — répéter* (l. 1212-1213) ; *attendre* pris dans deux sens différents (l. 1226 et 1218). Silvia, heureuse, joue à la perfection son rôle de soubrette spirituelle.

● **Les caractères** — Étudiez la bonté souriante de M. Orgon et la gaieté taquine de Mario.

① Vers la fin de la scène, n'observez-vous pas un changement dans le comportement de Silvia ? Le lyrisme amoureux, avec ses superlatifs, ses répétitions, ne contraste-t-il pas avec la « paix douce » (expression de Mario à la ligne 1248) du début ?

② Comparez la joie débordante de Silvia à celle d'Hermione (acte III, sc. 3 d'*Andromaque*).

③ L'amour-propre de Silvia est-il seulement une vanité due à sa beauté et à son rang, ou une délicate défense contre les vicissitudes de la vie ?

④ Comparez l'amour-propre de Silvia et celui de Marianne à l'église, éclipsant toutes les femmes : « Quelle fête ! C'était la première fois que j'allais jouir un peu du mérite de ma petite figure. J'étais toute émue de plaisir de penser à ce qui allait en arriver. j'en perdais presque haleine. » (*Seconde partie.*)

■■■

SCÈNE V. — MONSIEUR ORGON, SILVIA, MARIO, LISETTE.

MONSIEUR ORGON. — Paix, voici Lisette ; voyons ce qu'elle nous veut.

LISETTE. — Monsieur, vous m'avez dit tantôt que vous m'abandonniez Dorante, que vous livriez sa tête à ma discrétion[1] ; je vous ai pris au mot ; j'ai travaillé comme pour moi ; et vous verrez de l'ouvrage bien fait ; allez, c'est une tête bien conditionnée[2]. Que voulez-vous que j'en fasse à présent ? Madame me le cédet-elle[3] ? 1295

MONSIEUR ORGON. — Ma fille, encore une fois, n'y[4] prétendez-vous rien ? 1300

SILVIA. — Non, je te le donne, Lisette ; je te remets tous mes droits, et, pour dire comme toi, je ne prendrai jamais de part à un cœur que je n'aurai pas conditionné moi-même[5].

LISETTE. — Quoi! vous voulez bien que je l'épouse ? Monsieur le veut bien aussi ? 1305

MONSIEUR ORGON. — Oui ; qu'il s'accommode[6]! pourquoi t'aime-t-il ?

MARIO. — J'y consens aussi, moi.

LISETTE. — Moi aussi, et je vous en remercie tous.

MONSIEUR ORGON. — Attends, j'y mets pourtant une petite restriction ; c'est qu'il faudrait, pour nous disculper de ce qui arrivera, que tu lui dises un peu qui tu es. 1310

LISETTE. — Mais si je le lui dis un peu, il le saura tout à fait[7].

MONSIEUR ORGON. — Eh bien, cette tête en si bon état ne soutiendrat-elle pas cette secousse-là[8] ? Je ne le crois pas de caractère à s'effaroucher[9] là-dessus. 1315

LISETTE. — Le voici qui me cherche ; ayez donc la bonté de me laisser le champ libre ; il s'agit de mon chef-d'œuvre.

MONSIEUR ORGON. — Cela est juste ; retirons-nous.

SILVIA. — De tout mon cœur.

MARIO. — Allons. 1320

---

1. Locution venue de la langue militaire et qui signifie textuellement : donner droit de vie ou de mort au vainqueur. Lisette rappelle à M. Orgon ses promesses de l'acte II, sc. 1, l. 551 : « Renverse, ravage, brûle, enfin épouse ; je te le permets. » La scène 5 de l'acte III est la suite logique de cette scène, et la scène symétrique de la scène entre Dorante et Arlequin (III, 1). — 2. Apprêtée, préparée. Verbe familier employé souvent par les soubrettes et valets de Marivaux : « Voilà le vertige le mieux conditionné qui soit jamais sorti d'un cerveau femelle » (*La Méprise*, sc. 1). — 3. Lisette, en loyale soubrette, demande aussi l'autorisation de Silvia : ne s'agit-il pas (en apparence) du propre fiancé de la jeune fille ? — 4. Emploi large du pronom. La réponse de Silvia : *je te remets tous mes droits* ne laisse aucun doute sur le sens. — 5. Silvia s'amuse à reprendre l'expression de Lisette (l. 1296). Elle ne détrompe pas Lisette sur Arlequin, mais invoque un argument sentimental. — 6. Qu'il s'arrange avec toi! — 7. Satisfaite pour l'essentiel, Lisette plaisante. — 8. Émotion subite. — 9. À s'enfuir comme un animal sauvage. Le public, qui est, lui aussi, au courant du stratagème, se divertit en même temps que M. Orgon. Toute la scène est pleine de bonne humeur. C'est, à la fois, un moment de détente et la préparation à l'entrevue entre Lisette et Arlequin, d'un comique plus gros.

Scène VI. — LISETTE, ARLEQUIN.

ARLEQUIN. — Enfin, ma reine,[1] je vous vois et je ne vous quitte plus ; car j'ai trop pâti d'avoir manqué de votre présence, et j'ai cru que vous esquiviez la mienne.

LISETTE. — Il faut vous avouer, Monsieur, qu'il en était quelque chose.   1325

ARLEQUIN. — Comment donc, ma chère âme, élixir de mon cœur, avez-vous entrepris la fin de ma vie[2] ?

LISETTE. — Non, mon cher ; la durée m'en est trop précieuse.

ARLEQUIN. — Ah! que ces paroles me fortifient[3] !

LISETTE. — Et vous ne devez point douter de ma tendresse[4].   1330

ARLEQUIN. — Je voudrais bien pouvoir baiser ces petits mots-là, et les cueillir sur votre bouche avec la mienne.

---

1. Voir *la Parodie du style précieux et galant.* — 2. Entrepris de me faire mourir : exagération burlesque et périphrase précieuse. — 3. Me donnent des forces. Le mot concret *fortifier* est employé au figuré. — 4. Lisette est sincère.

● **La parodie du style précieux et galant** — Elle se manifeste par l'abondance des appellations hyperboliques :
— tantôt surannées : *ma chère âme* (l. 1326) ; *mignonne adorable* (II, 3, l. 617) ; *princesse* (II, 5 l. 650) ; *ma reine* (l. 1321) ; *reine de ma vie* (II, 6, l. 689) ; *merveilleuse dame* (II, l. 578) ;
— tantôt caricaturales par leur outrance : *prodige de nos jours* (II, 3, l. 592) ; *élixir de mon cœur* (l. 1326).
M. Deloffre (*op. cit.*) rappelle que l'Arlequin de Regnard use du même langage : « Hé ! vous voilà, princesse, infante de ma vie » (*Démocrite*, IV, 7).
Le style précieux utilisé par l'Arlequin de Marivaux nous paraît d'autant plus artificiel qu'il se mêle à des termes familiers comme *pâti* (l. 1322), *esquiviez* (l. 1323).
Enfin, le ridicule en est souligné par le fait que Lisette, elle, adopte aisément le style élégant de Silvia.

● **Arlequin vu par Luigi Riccoboni** (*Histoire du théâtre italien*, t. II, (« Explication des figures »). — « Le caractère d'Arlequin depuis un siècle est devenu l'effort de l'art et de l'esprit au théâtre. Lorsqu'il a été manié par des acteurs quelque génie, il a fait les délices des plus grands Rois [...], c'est un caméléon qui prend toutes les couleurs [...]. Lorsqu'il est manié par un homme d'esprit et de bonnes mœurs, il devient un caractère admirable [...]. Au reste, le personnage d'Arlequin de notre temps retient toujours ce que le théâtre lui a donné par une ancienne tradition [...] c'est-à-dire des gestes, et des singeries très comiques. En France, on l'appelle mimique et selon mon sentiment, avec toute raison. Il conserve aussi l'agilité du corps en Italie. La première chose que demande généralement le peuple, c'est de savoir si l'Arlequin est agile, s'il fait des culbutes, s'il saute et s'il danse. »

LISETTE. — Mais vous me pressiez sur notre mariage, et mon père ne m'avait pas encore permis de vous répondre ; je viens de lui parler, et j'ai son aveu pour vous dire que vous pouvez lui demander ma main quand vous voudrez[1]. 1335

ARLEQUIN. — Avant que je la demande à lui, souffrez que je la demande à vous[2] ; je veux lui rendre mes grâces de la charité qu'elle aura de vouloir bien entrer dans la mienne, qui en est véritablement indigne[3]. 1340

LISETTE. — Je ne refuse pas de vous la prêter un moment, à condition que vous la prendrez pour toujours[4].

ARLEQUIN. — Chère petite main rondelette[5] et potelée, je vous prends sans marchander. Je ne suis pas en peine de l'honneur que vous me ferez ; il n'y a que celui que je vous rendrai[6] qui m'inquiète. 1345

LISETTE. — Vous m'en rendrez plus qu'il ne m'en faut.

ARLEQUIN. — Ah ! que nenni[7] ; vous ne savez pas cette arithmétique-là[8] aussi bien que moi.

LISETTE. — Je regarde pourtant votre amour comme un présent du Ciel[9]. 1350

ARLEQUIN. — Le présent qu'il vous a fait ne le ruinera pas ; il est bien mesquin[10].

LISETTE — Je ne le trouve que trop magnifique !

ARLEQUIN. — C'est que vous ne le voyez pas au grand jour.

LISETTE. — Vous ne sauriez croire combien votre modestie m'embarrasse[11]. 1355

ARLEQUIN. — Ne faites point dépense d'embarras[12] ; je serais bien effronté, si je n'étais pas modeste[13].

LISETTE. — Enfin, Monsieur, faut-il vous dire que c'est moi que votre tendresse honore ? 1360

ARLEQUIN. — Aïe ! aïe ! je ne sais plus où me mettre[14].

---

1. Après le badinage, les affaires sérieuses. Pour Lisette comme pour Silvia, l'amour n'existe pas hors du mariage. — 2. Noter l'opposition : *à lui, à vous*. Pourquoi Arlequin préfère-t-il s'adresser d'abord à Lisette ? — 3. Ce galimatias abstrait *(rendre mes grâces de la charité...)* parodie le style précieux, tout en traduisant l'embarras réel d'Arlequin. — 4. Noter le jeu d'esprit sur *main (demander ma main* au sens figuré : demander en mariage (l. 1336), et *prêter* ma main, au sens concret, une *main rondelette et potelée*, dira Arlequin) ; également l'antithèse entre *un moment* et *toujours*. — 5. Diminutif familier. — 6. Jeu d'esprit sur « faire de l'honneur » (expression d'Arlequin) et « rendre honneur » (expression de Lisette à la l. 1346). Les deux personnages s'efforcent d'avouer leur condition, mais sans perdre la face et en faisant de l'esprit. — 7. Forme populaire de négation. Cf. Molière, *le Bourgeois Gentilhomme*, III, 2 : « Nenni, Monsieur, je serais bien fâchée », dit Nicole. — 8. Le jeu de mots *prêter* et *rendre* (l. 1341 et 1346) se prolonge par l'emploi inattendu d'*arithmétique* : Arlequin, en qualité de valet, sait compter. — 9. Noter le ton sérieux et élevé de Lisette. — 10. Étriqué, médiocre. Cf. Rousseau, *la Nouvelle Héloïse*, Vᵉ partie : « La vie triste et mesquine des pères... ». — 11. Pourquoi cet embarras ? Si Lisette n'était pas loyale, serait-elle embarrassée ? — 12. Rapprochement insolite d'une locution concrète *(faire dépense)* et d'un nom abstrait *(embarras)*. — 13. Malgré son aplomb, Arlequin veut tenir sa promesse à Dorante. — 14. Changement de ton : de la parodie du style mondain, Arlequin passe au ton de la farce. Ses cris : *Aïe ! aïe* s'accompagnent d'une mimique expressive.

LISETTE. — Encore une fois, Monsieur, je me connais.

ARLEQUIN. — Eh! je me connais bien aussi, et je n'ai pas là une fameuse connaissance ; ni vous non plus, quand vous l'aurez faite ; mais, c'est là le diable que de me connaître ; vous ne vous attendez pas au fond du sac[1]. 1365

LISETTE, *à part.* — Tant d'abaissement[2] n'est pas naturel. *(Haut.)* D'où vient me[3] dites-vous cela ?

ARLEQUIN. — Eh! voilà où gît le lièvre[4].

LISETTE. — Mais encore ? Vous m'inquiétez. Est-ce que vous n'êtes pas... 1370

ARLEQUIN. — Aïe! aïe! vous m'ôtez ma couverture[5].

LISETTE. — Sachons de quoi il s'agit.

ARLEQUIN, *à part.* — Préparons un peu cette affaire-là... *(Haut.)* Madame, votre amour est-il d'une constitution[6] robuste ? Soutiendra-t-il bien la fatigue que je vais lui donner ? Un mauvais gîte lui fait-il peur ? Je vais le loger petitement. 1375

LISETTE. — Ah! tirez-moi d'inquiétude. En un mot, qui êtes-vous ?

ARLEQUIN. — Je suis... N'avez-vous jamais vu de fausse monnaie ? Savez-vous ce que c'est qu'un louis d'or faux ? Eh bien, je ressemble assez à cela. 1380

LISETTE. — Achevez donc. Quel est votre nom[7] ?

ARLEQUIN. — Mon nom ? *(A part.)* Lui dirai-je que je m'appelle Arlequin ? Non ; cela rime trop avec coquin.

LISETTE. — Eh bien! 1385

ARLEQUIN. — Ah dame! il y a eu un peu à tirer ici[8]. Haïssez-vous la qualité[9] de soldat ?

LISETTE. — Qu'appelez-vous un soldat ?

ARLEQUIN. — Oui, par exemple, un soldat d'antichambre[10].

LISETTE. — Un soldat d'antichambre! Ce n'est donc point Dorante à qui je parle enfin ? 1390

ARLEQUIN. — C'est lui qui est mon capitaine.

LISETTE. — Faquin[11]!

---

1. Dans sa gêne, Arlequin retrouve spontanément le parler populaire avec ses images concrètes. — 2. Humilité. Lisette, plus fine qu'Arlequin, commence à se méfier. — 3. Ellipse de *que* ; style parlé. — 4. Encore une locution populaire. — 5. Mon masque. Mais l'expression évoque aussi le geste de découvrir quelqu'un caché sous une couverture. — 6. Reprise de l'image de l'*enfant* (II, 3, l. 592) : « un amour de votre façon ne reste pas longtemps au berceau... ». La parodie de la préciosité consiste à prolonger la métaphore au-delà du bon goût. L'esprit de la société, au XVIIIe siècle, est plus vif qu'au temps du *Grand Cyrus* et préfère l'allusion au développement. — 7. Lisette change de ton. Elle interroge sèchement Arlequin. — 8. Locution familière : il y a un peu de peine à se tirer d'affaire. — 9. Le métier. — 10. Rapprochement burlesque entre deux métiers fort différents : le soldat, qui est en faction dans le camp ; le valet, qui reste en faction dans l'antichambre de son maître. L'invention d'Arlequin peut être un souvenir des *Précieuses ridicules*, (sc. 11), et de Regnard (*Foire Saint-Germain*, I, 8) ; dans cette comédie, Colombine démasque Arlequin, qui prétend avoir servi au régiment de « l'Arc-en-Ciel ». — 11. Au sens propre : portefaix, puis par extension : vaurien. Injure fréquente dans la comédie des XVIIe et XVIIIe siècles.

ARLEQUIN, *à part*. — Je n'ai pu éviter la rime[1].

LISETTE. — Mais, voyez ce magot[2], tenez!   1395

ARLEQUIN. — La jolie culbute[3] que je fais là!

LISETTE. — Il y a une heure que je lui demande grâce, et que je
m'épuise en humilités[4] pour cet animal-là.

ARLEQUIN. — Hélas! Madame, si vous préfériez l'amour à la gloire,
je vous ferais bien autant de profit qu'un Monsieur[5].   1400

LISETTE, *riant*. — Ah! ah! ah! je ne saurais pourtant m'empêcher d'en
rire, avec sa gloire! il n'y a plus que ce parti-là à prendre... Va, va,
ma gloire te pardonne; elle est de bonne composition[6].

ARLEQUIN. — Tout de bon, charitable dame? Ah! que mon amour
vous promet de reconnaissance[7]!   1405

LISETTE. — Touche là, Arlequin; je suis prise pour dupe. Le soldat
d'antichambre de Monsieur vaut bien la coiffeuse de Madame.

ARLEQUIN. — La coiffeuse de Madame!

LISETTE. — C'est mon capitaine, ou l'équivalent.

ARLEQUIN. — Masque!   1410

LISETTE. — Prends ta revanche.

ARLEQUIN. — Mais voyez cette magotte[8], avec qui, depuis une heure,
j'entre en confusion de ma misère!

LISETTE. — Venons au fait. M'aimes-tu?

ARLEQUIN. — Pardi! oui. En changeant de nom tu n'as pas changé de 1415
visage, et tu sais bien que nous nous sommes promis fidélité en
dépit de toutes les fautes d'orthographe[9].

LISETTE. — Va, le mal n'est pas grand, consolons-nous; ne faisons
semblant de rien, et n'apprêtons point à rire[10]. Il y a apparence
que ton maître est encore dans l'erreur à l'égard de ma maîtresse; 1420
ne l'avertis de rien; laissons les choses comme elles sont. Je
crois que le voici qui entre. Monsieur, je suis votre servante.

ARLEQUIN. — Et moi votre valet[11], Madame. *(Riant.)* Ah! ah! ah!

---

1. L'*aparté* d'Arlequin souligne l'effet comique : le valet ne perd pas sa bonne humeur
pour une injure. — 2. Au sens propre : variété de singe ; Lisette fait-elle allusion à la
laideur d'Arlequin (laid comme un singe)? (mais l. 1412). Fait-elle une allusion au
masque noir et velu que portait Arlequin (voir le tableau de Lancret, *les Acteurs de
la Comédie Italienne*)? Elle a vite repris le vocabulaire et le ton de la soubrette. —
3. Chute. Mais Arlequin a l'habitude de faire des culbutes. Peut-être Thomassin en
faisait-il une, en prononçant cette réplique. — 4. Noter le pluriel du mot abstrait, tour
précieux contrastant avec l'expression triviale : *cet animal-là*. — 5. Un seigneur.
Cf. Molière, *Dom Juan*, II, 1 : « Il faut que ce soit quelque gros, gros Monsieur », dit
Pierrot. — 6. La colère de Lisette ne dure pas : le rire l'emporte sur le dépit de voir
s'envoler le beau rêve : devenir l'épouse d'un noble. Elle a repris le tutoiement habituel
entre valets (cf. I, 6). — 7. Arlequin n'a pas encore compris. — 8. Autrement dit :
cette guenon (voir la n. 2). Lisette jouait sans masque ; *magotte* (féminin peu usité)
est pris ici au sens figuré. — 9. Rappel des promesses de l'acte II, sc. 5, l. 669 : « quand
vous ne seriez que Perrette... ». — 10. Ne donnons pas à rire. — 11. Les deux domestiques
retrouvent leur gaieté en singeant les politesses de leurs maîtres et en se moquant ainsi
de Dorante, le seul qui reste dans l'ignorance des déguisements.

SCÈNE VII. — DORANTE, ARLEQUIN.

DORANTE. — Eh bien, tu quittes la fille d'Orgon[1] ; lui as-tu dit qui tu 1425
étais ?

ARLEQUIN. — Pardi ! oui. La pauvre enfant ! j'ai trouvé son cœur plus
doux qu'un agneau ; il n'a pas soufflé[2]. Quand je lui ai dit que je
m'appelais Arlequin, et que j'avais un habit d'ordonnance[3] :
« Eh bien, mon ami, m'a-t-elle dit, chacun a son nom dans la vie,
chacun a son habit. Le vôtre ne vous coûte rien. » Cela ne laisse 1430
pas d'être gracieux[4].

DORANTE. — Quelle sorte d'histoire me contes-tu là[5] ?

ARLEQUIN. — Tant y a[6] que je vais la demander en mariage.

DORANTE. — Comment ! elle consent à t'épouser[7] ?

---

1. L'expression est bien familière de la part de Dorante, mais il n'aime pas Lisette et
la trouve vulgaire (cf. II, 12, l. 1061) : « Je hais la maîtresse dont je devais être l'époux. »
— 2. Il n'a pas soufflé mot. — 3. Un uniforme ; cf. Voltaire, *Histoire de Charles XII* :
« son habit d'ordonnance avait deux épaulettes ». Arlequin continue la plaisanterie sur le
soldat d'antichambre, (l. 1389) et évite le mot *livrée*. — 4. Arlequin prend sa revanche sur
les injures et les coups de Dorante, en affectant une familiarité blessante envers la fille de
M. Orgon. Son langage est plus vulgaire qu'auparavant et rejoint le gros comique de la
farce italienne. — 5. Dorante s'aperçoit bien qu'Arlequin travestit l'entrevue avec Lisette,
mais il n'est pas plus avancé. — 6. Prononciation populaire de *il y a*. — 7. Toujours le
problème du préjugé de caste.

● **L'action** — Notez les divers mouvements de la scène :
— le badinage parodique ;
— l'humilité embarrassée ;
— l'aveu d'Arlequin ;
— l'aveu de Lisette et l'accord par le mariage.

● **Les caractères** — Relevez les effets de contraste entre Arlequin et Lisette.

● **Le comique** — Il vient surtout de la parodie : cette scène fait pendant
à la scène 12 de l'acte II, au cours de laquelle Dorante et Silvia se sont
compris.
La situation des deux serviteurs est rendue comique par : le quiproquo ;
les jeux de scène ; le vocabulaire (qui passe de la préciosité ridicule au
langage populaire) ; la variété du rythme (lent jusqu'à l'aveu d'Arlequin, précipité ensuite).

① Comparez la scène de l'aveu de Lisette et d'Arlequin aux entretiens
de Dorante et de Silvia.

② En vous appuyant principalement sur cette scène, commentez la
remarque suivante du marquis de Paulmy (XVIIIᵉ siècle) : « Quoiqu'il
y ait un grand rôle d'Arlequin dans cette pièce, il est aisé de la jouer,
en substituant un valet qui y va tout aussi bien. »

③ Un critique du XVIIIᵉ siècle (*Mercure*, avril 1730) reprochait à
l'Arlequin du *Jeu* de mêler « des choses très jolies (*Je voudrais baiser
au passage ces petits mots-là...*) et des grossièretés (*Tous mes pardons
sont à votre service*) ». Ce mélange est-il choquant pour le spectateur
d'aujourd'hui ?

④ Comparez l'Arlequin du *Jeu* avec ceux d'*Arlequin poli par l'amour*,
de *la Surprise de l'Amour* et de *la Fausse Suivante*.

ARLEQUIN. — La voilà bien malade! 1435

DORANTE. — Tu m'en imposes[1]; elle ne sait pas qui tu es.

ARLEQUIN. — Par la ventrebleu[2]! voulez-vous gager que je l'épouse avec la casaque[3] sur le corps; avec une souquenille[4], si vous me fâchez? Je veux bien que vous sachiez qu'un amour de ma façon n'est point sujet à la casse[5], que je n'ai pas besoin de votre 1440 friperie[6] pour pousser ma pointe[7], et que vous n'avez qu'à me rendre la mienne.

DORANTE. — Tu es un fourbe; cela n'est pas concevable, et je vois bien qu'il faudra que j'avertisse M. Orgon.

ARLEQUIN. — Qui? notre père? Ah! le bon homme! nous l'avons 1445 dans notre manche[8]. C'est le meilleur humain, la meilleure pâte d'homme[9]!... Vous m'en direz des nouvelles.

DORANTE. — Quel extravagant! As-tu vu Lisette?

ARLEQUIN. — Lisette? non. Peut-être a-t-elle passé devant mes yeux; mais un honnête homme[10] ne prend pas garde à une cham- 1450 brière[11]. Je vous cède ma part de cette attention-là[12].

DORANTE. — Va-t'en; la tête te tourne.

ARLEQUIN. — Vos petites manières sont un peu aisées; mais c'est la grande habitude qui fait cela. Adieu. Quand j'aurai épousé[13], nous vivrons but à but[14]. Votre soubrette arrive. Bonjour, Lisette : 1455 je vous recommande Bourguignon; c'est un garçon qui a quelque mérite.

SCÈNE VIII. — DORANTE, SILVIA.

DORANTE, *à part*. — Qu'elle est digne d'être aimée! Pourquoi faut-il que Mario m'ait prévenu[15]?

SILVIA. — Où étiez-vous donc, Monsieur? Depuis que j'ai quitté 1460 Mario, je n'ai pu vous retrouver pour vous rendre compte de ce que j'ai dit à M. Orgon.

---

1. Tu me trompes. — 2. *Ventrebleu* (*bleu* dissimule le nom de Dieu) est un juron de soldat, qui convient bien à celui qui porte un « habit d'ordonnance ». — 3. Surtout d'inté-rieur porté par les laquais. — 4. Surtout en grosse toile, sorte de bourgeron qui protège la livrée durant les gros travaux. Voir Molière, l'*Avare*, III, 1 : « *Quitterons-nous nos siquemilles, Monsieur?* » demande La Merluche. — 5. Sujet à être cassé; cf. l'expression familière : il y a de la casse. — 6. Noter le mépris affecté pour les beaux habits de Dorante. Ce mot indiquerait qu'Arlequin ne jouait pas avec le costume losangé, mais en habit de petit-maître. — 7. Locution militaire passée dans le langage galant : poursuivre mes avan-tages près d'une femme. — 8. Arlequin multiplie les locutions proverbiales et accentue sa familiarité, non seulement à propos de Lisette, mais de M. Orgon, ce qui étonne encore plus Dorante. — 9. Effet de contraste entre le terme recherché, *humain* (au lieu de *homme*), et la métaphore familière, *la meilleure pâte d'homme*. — 10. Un homme du monde. — 11. Expression légèrement méprisante, et d'autant plus comique qu'elle vient d'Arlequin. — 12. Arlequin s'amuse d'autant plus librement qu'il sait désormais qui est la fausse Lisette. — 13. *Épousé* est employé absolument. Voir I, 8, l. 438 : « Je viens pour épouser ». — 14. A égalité. En effet, Arlequin aura épousé une fille noble et Dorante une roturière. Noter l'ironie familière de *Votre Soubrette* (l. 1455). Arlequin profite des derniers moments de son rôle de maître. Mais Dorante ne s'en offusque guère : il ne songe qu'à Silvia. — 15. Devancé.

DORANTE. — Je ne me suis pourtant pas éloigné. Mais de quoi s'agit-il ?

SILVIA, *à part.* — Quelle froideur ! *(Haut.)* J'ai eu beau décrier votre [1465] valet et prendre sa conscience à témoin de son peu de mérite ; j'ai eu beau lui représenter[1] qu'on pouvait du moins reculer le mariage, il ne m'a pas seulement écoutée. Je vous avertis même qu'on parle d'envoyer chez[2] le notaire, et qu'il est temps de vous déclarer[3]. [1470]

DORANTE. — C'est mon intention. Je vais partir *incognito*[4], et je laisserai un billet qui instruira M. Orgon de tout.

SILVIA, *à part.* — Partir ! ce n'est pas là mon compte.

DORANTE. — N'approuvez-vous pas mon idée ?

SILVIA. — Mais... pas trop. [1475]

DORANTE. — Je ne vois pourtant rien de mieux dans la situation où je suis, à moins que de[5] parler moi-même, et je ne saurais m'y résoudre. J'ai d'ailleurs d'autres raisons qui veulent que je me retire ; je n'ai plus que faire ici.

---

1. Faire remarquer. — 2. Tour elliptique fréquent dans la langue classique. — 3. Faire connaître publiquement, mais quoi ? son rang ? ou sa qualité de prétendant à la main de la fausse Silvia ? — 4. Mot emprunté aux Italiens. Le projet de Dorante est en contradiction avec les conseils de Silvia. — 5. Tour recommandé par le *Dictionnaire de l'Académie* (1762).

■■

● **Le comique de la scène 7** — Pourquoi Marivaux a-t-il donné à cette scène le style de la farce ?

① Étudiez la progression du comique, par rapport à la scène 6. Notez le mélange de naturel et de conventionnel dans les propos d'Arlequin.

② Montrez que le comique tient à la fois à la situation fausse de Dorante, résultant du double déguisement, et à l'accumulation de mots vulgaires. Arlequin exaspère Dorante.

③ Comparez l'ironie bon enfant d'Arlequin à l'égard de Dorante, à celle d'Arlequin dans *l'Ile des esclaves* (par exemple, scène 5). La satire sociale est à peine esquissée, et avec bonne humeur.

● **L'action** — Notez le malaise des deux jeunes gens, au début de la scène 8. La remarque de Silvia, *Quelle froideur !* (l. 1465) donne le ton. Le contraste est grand avec la gaieté de la scène précédente.
Le faux rapport de Silvia sur la proximité du mariage d'Arlequin et de la fille de M. Orgon est vraisemblable, après qu'on en a dit Arlequin lui-même. Remarquez le comique de l'expression noble *prendre sa conscience à témoin.* (l. 1466) à propos d'un personnage tel qu'Arlequin.
Silvia, trop sûre d'elle-même, va-t-elle perdre la partie ? La décision de Dorante et sa remarque, *je n'ai plus que faire ici* (l. 1479) suscitent la curiosité du spectateur.

■■

SILVIA. — Comme je ne sais pas vos raisons, je ne puis ni les approu- [1480] ver ni les combattre, et ce n'est pas à moi à[1] vous les demander.

DORANTE. — Il vous est aisé de les soupçonner, Lisette.

SILVIA. — Mais je pense, par exemple, que vous avez du dégoût pour la fille de M. Orgon[2].

DORANTE. — Ne voyez-vous que cela? [1485]

SILVIA. — Il y a bien encore certaines choses que je pourrais supposer ; mais je ne suis pas folle, et je n'ai pas la vanité de m'y arrêter.

DORANTE. — Ni le courage d'en parler ; car vous n'auriez rien d'obligeant à me dire. Adieu, Lisette.

SILVIA. — Prenez garde ; je crois que vous ne m'entendez[3] pas, je [1490] suis obligée de vous le déclarer.

DORANTE. — A merveille! et l'explication ne me serait pas favorable. Gardez-moi le secret jusqu'à mon départ.

SILVIA. — Quoi! sérieusement[4], vous partez?

DORANTE. — Vous avez bien peur que je ne change d'avis[5]. [1495]

SILVIA. — Que vous êtes aimable d'être si bien au fait!

DORANTE. — Cela est bien naïf[6]. Adieu .

SILVIA, *à part*. — S'il part, je ne l'aime plus, je ne l'épouserai jamais... *(Elle le regarde s'en aller.)* Il s'arrête pourtant ; il rêve[7], il regarde si je tourne la tête, et je ne saurais le rappeler, moi . Il serait [1500] pourtant singulier[8] qu'il partît, après tout ce que j'ai fait!... Ah! voilà qui est fini, il s'en va ; je n'ai pas tant de pouvoir sur lui que je le croyais. Mon frère est un maladroit ; il s'y est mal pris. Les gens indifférents gâtent tout. Ne suis-je pas bien avancée? Quel dénoûement[9]! Dorante reparaît pourtant ; il me semble qu'il [1505] revient. Je me dédis donc ; je l'aime encore... Feignons de sortir, afin qu'il m'arrête ; il faut bien que notre réconciliation lui coûte quelque chose.

DORANTE, *l'arrêtant*. — Restez, je vous prie ; j'ai encore quelque chose à vous dire. [1510]

SILVIA. — A moi, Monsieur[10]?

DORANTE. — J'ai de la peine à partir sans vous avoir convaincue que je n'ai pas tort de le faire[11].

SILVIA. — Eh! Monsieur, de quelle conséquence[12] est-il de vous justifier auprès de moi? Ce n'est pas la peine ; je ne suis qu'une suivante, [1515] et vous me le faites bien sentir[13].

---

1. Emploi fréquent de *à* pour *de*, au XVIIIe siècle. — 2. Silvia n'en croit rien. — 3. Comprenez. L'avertissement de Silvia est sérieux, ce qui ne l'empêche pas de faire un jeu d'esprit : *obligeant* (l. 1488), *obligée* (l. 1491). — 4. L'adverbe placé en tête de la phrase met l'accent sur l'émotion de Silvia, qui croyait jusque là à une simple bouderie. — 5. Le malentendu s'aggrave. — 6. Naturel. Dorante ne comprend pas que Silvia ironise. — 7. Réfléchit. — 8. Extraordinaire. — 9. Noter le chagrin réel de Silvia, désolée devant cette conclusion inattendue du jeu. — 10. Silvia feint la surprise. — 11. Dorante cherche de fausses raisons. Noter la litote *je n'ai pas tort*, moins brutale que : *j'ai raison*. — 12. Importance. — 13. Silvia se venge en ranimant le combat entre l'amour et l'amour-propre.

DORANTE. — Moi, Lisette! est-ce à vous de vous plaindre, vous qui me voyez prendre mon parti[1] sans me rien dire ?

SILVIA. — Hum! si je voulais, je vous répondrais bien là-dessus.

DORANTE. — Répondez donc, je ne demande pas mieux que de me tromper. Mais que dis-je? Mario vous aime. [1520]

SILVIA. — Cela est vrai.

DORANTE. — Vous êtes sensible à son amour ; je l'ai vu par l'extrême envie que vous aviez tantôt que je m'en allasse[2] ; ainsi vous ne sauriez m'aimer. [1525]

SILVIA. — Je suis sensible à son amour! qui est-ce qui vous l'a dit? Je ne saurais vous aimer! qu'en savez-vous? Vous décidez bien vite[3].

DORANTE. — Eh bien, Lisette, par tout ce que vous avez de plus cher au monde, instruisez-moi de ce qui en est, je vous en conjure[4]. [1530]

SILVIA. — Instruire un homme qui part!

DORANTE. — Je ne partirai point.

SILVIA. — Laissez-moi. Tenez, si vous m'aimez, ne m'interrogez point. Vous ne craignez que mon indifférence et vous êtes trop heureux que je me taise. Que vous importent mes sentiments ? [1535]

DORANTE. — Ce qu'ils m'importent, Lisette! peux-tu douter encore que je ne t'adore[5] ?

---

1. Prendre une décision. — 2. A la scène 3 de l'acte III, Mario a obligé Dorante à quitter Silvia, et celle-ci ne s'y est pas opposée : l. 1228. — 3. Silvia avoue délicatement son amour, tout en protestant contre l'incompréhension de Dorante. De même, la Comtesse du *Legs* reprochera (sc. 24) au Marquis de s'imaginer qu'elle ne l'aime pas : « Que vous êtes impatientant avec votre haine! Eh! quelles preuves avez-vous de la mienne ? ». — 4. Noter le ton émouvant de Dorante. Le dépit est dépassé. — 5. Protestation sincère d'amour, d'autant plus pathétique qu'elle est très simple et naturellement amenée.

● **L'action** — Analysez les mouvements d'humeur de Dorante et de Silvia. Voyez comment la jalousie développe les malentendus.

① Comparez la dispute de Silvia et de Dorante à celle de Lucile et d'Éraste dans *le Dépit amoureux* (IV, 3) ; puis à celle de Valère et de Mariane dans *Tartuffe* (II, 4).

② Voici ce que dit Éraste dans *le Dépit amoureux* (IV, 3) :

> Quand on aime les gens, on peut, de jalousie,
> Sur beaucoup d'apparence, avoir l'âme saisie ;
> Mais alors qu'on les aime, on ne peut en effet
> Se résoudre à les perdre...

Ne pensez-vous pas que ces vers expriment les sentiments de Dorante?

③ Expliquez les derniers mots de Silvia dans la scène 8 : l. 1589. Que reflètent-ils? joie, tendresse, inquiétude?

SILVIA. — Non, et vous me le répétez si souvent que je vous crois, mais pourquoi m'en persuadez-vous[1]? que voulez-vous que je fasse de cette pensée-là, Monsieur? Je vais vous parler à cœur 1540 ouvert. Vous m'aimez; mais votre amour n'est pas une chose bien sérieuse pour vous[2]. Que de ressources n'avez-vous pas pour vous en défaire! La distance qu'il y a de vous à moi, mille objets[3] que vous allez trouver sur votre chemin, l'envie qu'on aura de vous rendre sensible[4], les amusements d'un homme de 1545 votre condition, tout va vous ôter cet amour dont vous m'entretenez impitoyablement. Vous en rirez peut-être[5] au sortir d'ici, et vous aurez raison. Mais moi, Monsieur, si[6] je m'en ressouviens, comme j'en ai peur, s'il m'a frappée, quel secours aurai-je contre l'impression qu'il m'aura faite? Qui est-ce qui me dédomma- 1550 gera de votre perte? Qui voulez-vous que mon cœur mette à votre place? Savez-vous bien que, si je vous aimais, tout ce qu'il y a de plus grand dans le monde ne me toucherait plus? Jugez donc de l'état où je resterais. Ayez la générosité de me cacher votre amour. Moi qui vous parle, je me ferais un scrupule de vous 1555 dire que je vous aime, dans les dispositions où vous êtes. L'aveu de mes sentiments pourrait exposer[7] votre raison, et vous voyez bien aussi que je vous le cache.

DORANTE. — Ah! ma chère Lisette, que viens-je d'entendre? Tes paroles ont un feu qui me pénètre. Je t'adore, je te respecte[8]. Il 1560 n'est ni rang, ni naissance, ni fortune qui ne disparaisse devant une âme comme la tienne. J'aurais honte que mon orgueil tînt encore contre toi, et mon cœur et ma main t'appartiennent[9].

SILVIA. — En vérité, ne mériteriez-vous pas que je les prisse? ne faut-il pas être bien généreuse[10] pour vous dissimuler le plaisir 1565 qu'ils me font? et croyez-vous que cela[11] puisse durer?

DORANTE. — Vous m'aimez donc?

SILVIA. — Non, non; mais si vous me le demandez encore, tant pis pour vous.

---

1. Noter la nuance toute pascalienne, entre le *convaincue* de Dorante (l. 1512) et le *persuadez* de Silvia. — 2. Silvia va énumérer tous les obstacles qui séparent un jeune homme noble d'une jeune fille roturière. — 3. Personnes désireuses de se faire aimer. — 4. Amoureux. — 5. Silvia n'avait-elle pas dit (II, 9, l. 837) : « Le souvenir de tout ceci me fera bien rire un jour »? — 6. Pourquoi cette restriction? Noter l'emploi des futurs pour évoquer la perte irréparable que fera Silvia, en quittant Dorante. Plus loin (l. 1553), elle utilisera le conditionnel à quatre reprises car elle tient à laisser planer le doute sur ses propres sentiments d'amour. — 7. Mettre en danger. Ne pas oublier ce qu'a dit Silvia à l'acte III, sc. 4, l. 1284 : « Je veux un combat entre l'amour et la raison. » — 8. Noter le rapprochement des deux verbes : l'adoration s'adresse à la beauté, le respect aux qualités morales, d'où l'éloge (l. 1562) : « une âme comme la tienne ». L'attrait physique de Silvia n'est pas seul en cause. — 9. Le préjugé est définitivement surmonté; Silvia a obtenu ce qu'elle voulait (l. 1283). Le dénouement rappelle celui du *Préjugé vaincu* (1746) : « ANGÉLIQUE — Levez-vous, Dorante. Vous avez triomphé d'une fierté que je désavoue. » — 10. Orgueilleuse. — 11. Deux sens possibles : le plaisir d'être aimée ou la retenue de Silvia qui dissimule ce plaisir.

Maurice Escande, Micheline Boudet et Mony Dalmès
Comédie-Française 1946

Le dénouement à la Comédie-Française, septembre 1968

DORANTE. — Vos menaces ne me font point de peur. 1570

SILVIA. — Et Mario, vous n'y songez donc plus?

DORANTE. — Non, Lisette, Mario ne m'alarme plus; vous ne l'aimez point; vous ne pouvez me tromper; vous avez le cœur vrai; vous êtes sensible à ma tendresse. Je ne saurais en douter au transport qui m'a pris, j'en suis sûr; et vous ne sauriez plus 1575 m'ôter cette certitude-là.

SILVIA. — Oh! je n'y[1] tâcherai point, gardez-la; nous verrons ce que vous en ferez.

DORANTE. — Ne consentez-vous pas d'être à moi?

SILVIA. — Quoi! vous m'épouserez malgré ce que vous êtes, malgré 1580 la colère d'un père, malgré votre fortune[2]?

DORANTE. — Mon père me pardonnera dès qu'il vous aura vue; ma fortune nous suffit à tous deux, et le mérite vaut bien la naissance[3]. Ne disputons point[4], car je ne changerai jamais.

SILVIA. — Il ne changera jamais! Savez-vous bien que vous me 1585 charmez, Dorante?

DORANTE. — Ne gênez[5] donc plus votre tendresse, et laissez-la répondre.

SILVIA. — Enfin, j'en suis venue à bout. Vous... vous ne changerez jamais[6]? 1590

DORANTE. — Non, ma chère Lisette.

SILVIA. — Que d'amour!

Scène IX. — MONSIEUR ORGON, SILVIA, DORANTE, LISETTE, ARLEQUIN, MARIO.

SILVIA. — Ah! mon père, vous avez voulu que je fusse à Dorante. Venez voir votre fille vous obéir avec plus de joie qu'on n'en eut jamais. 1595

DORANTE. — Qu'entends-je! vous, son père, Monsieur?

SILVIA. — Oui, Dorante; la même idée de nous connaître nous est venue à tous deux. Après cela, je n'ai plus rien à vous dire; vous m'aimez, je n'en saurais douter, mais, à votre tour, jugez de

---

1. Emploi libre de *y*, représentant *ôter cette certitude*. — 2. Les trois obstacles : la naissance, la famille, la fortune. — 3. Cette maxime générale exprime une conviction profonde de Marivaux. Cf. *l'Ile des esclaves : «* CLÉANTHIS — Il faut avoir le cœur bon, de la vertu, de la raison; voilà ce qu'il faut, voilà ce qui distingue et ce qui fait qu'un homme est plus qu'un autre. » — 4. Ne discutons point. — 5. Au XVIIIᵉ siècle, *gêner* n'a plus le sens de *torturer*, mais d'*entraver*. En effet, Silvia s'est ingéniée à retarder le duo de *tendresse*. — 6. Marianne, elle, a la douleur de voir son fiancé, Valville, s'éprendre d'une autre jeune fille. Marivaux constate que la chose arrive : « Valville n'est point un monstre... Non, c'est un homme fort ordinaire... » (*Vie de Marianne*, VIIIᵉ partie). Mais Silvia n'aurait pas voulu d'un amour « ordinaire », elle.

mes sentiments pour vous, jugez du cas que j'ai fait de votre [1600] cœur par la délicatesse avec laquelle j'ai tâché de l'acquérir[1].

MONSIEUR ORGON. — Connaissez-vous cette lettre ? Voilà par où j'ai appris votre déguisement, qu'elle[2] n'a pourtant su que par vous.

---

1. Comparer l'attitude de Silvia à celle d'Hortense au dénouement du *Petit-Maître corrigé* (1734) : « Ne me sachez pas mauvais gré de ce qui s'est passé ; je vous ai refusé ma main, j'ai montré de l'éloignement pour vous ; rien de tout cela n'était sincère : c'était mon cœur qui éprouvait le vôtre. Vous devez tout à mon penchant ; je voulais pouvoir m'y livrer ; je voulais que ma raison fût contente, vous comblez mes souhaits ; jugez à présent du cas que j'ai fait de votre cœur par tout ce que j'ai tenté pour en obtenir la tendresse entière ». — 2. *Elle* : Silvia. Le *déguisement*, nœud de l'intrigue, n'est pas plus romanesque que les reconnaissances traditionnelles ; cf. *l'Étourdi* de Molière : la reconnaissance de Célie par Trufaldin ; dans *l'École des femmes*, celle d'Agnès par Enrique.

▬▬

● **L'action** — La scène 8 de l'acte III est la plus importante et la plus longue de la pièce. Tout peut encore être remis en cause par la jalousie de Dorante ou une maladresse de Silvia.
Notez la variété et la simplicité de la structure :
— la jalousie et les reproches de Dorante : l. 1458-1497 ;
— le dépit amoureux et les fausses sorties : l. 1498-1532 ;
— la déclaration d'amour éternel de Silvia : l. 1533-1558 ;
— le duo de tendresse : l. 1559-1592.

● **Les caractères**

① Regroupez les différents traits de caractère dans toute la pièce pour composer un portrait de Dorante et de Silvia.

② Comparez la « victoire » de Dorante sur le préjugé de caste à celle de Valville (*Vie de Marianne*, IVe partie). Marianne essaie de dissuader Valville de l'épouser, en présence de la mère de celui-ci, Mme de Miran : « *Ai-je eu tort de l'aimer ? Me sera-t-il possible de ne l'aimer plus ?* [...] *Que de vertus, ma mère ! et il faut que je la quitte ! Vous le voulez, elle m'en prie...* Les pleurs coulèrent après le peu de mots ; il ne les retint plus : elles attendrirent Mme de Miran, qui pleura comme lui. »

③ Que pensez-vous du commentaire de Sarcey sur le cri de victoire de Silvia (l. 1589), *Enfin, j'en suis venue à bout* : « Ce n'est pas le mot d'une coquette émérite [...] c'est le mot d'une jeune fille en qui surabonde la joie de vivre et d'aimer » ?

● **Le rang et l'argent** — L'opposition de l'amour, de la naissance et de la fortune a été évoquée dans *la Double Inconstance* (1723) et le sera dans *le Préjugé vaincu* (1746).

④ Comparez le dénouement de cette dernière comédie et celui du *Jeu* :

DORANTE, *se jetant à genoux.* — Ah ! Madame, qu'entends-je ? Oserai-je croire qu'en ma faveur...

ANGÉLIQUE. — Levez-vous, Dorante. Vous avez triomphé d'une fierté que je désavoue, et mon cœur vous en venge.

Le père d'Angélique approuve sa fille d'aimer Dorante, bien que celui-ci soit un roturier.

▬▬

DORANTE. — Je ne saurais vous exprimer mon bonheur, Madame ; mais ce qui m'enchante le plus, ce sont les preuves que je vous [1605] ai données de ma tendresse.

MARIO. — Dorante me pardonne-t-il la colère où j'ai mis Bourguignon ?

DORANTE. — Il ne vous la pardonne pas, il vous en remercie[1].

ARLEQUIN, *à Lisette.* — De la joie, Madame ! Vous avez perdu votre [1610] rang ; mais vous n'êtes point à plaindre, puisque Arlequin vous reste.

LISETTE. — Belle consolation ! il n'y a que toi qui gagnes à cela.

ARLEQUIN. — Je n'y perds pas. Avant notre connaissance, votre dot valait mieux que vous ; à présent, vous valez mieux que votre [1615] dot. Allons, saute, marquis[2] !

---

1. Les beaux-frères seront des amis : la ruse de Mario a permis à Dorante de mieux connaître son cœur, d'où les remerciements. — 2. Le dénouement rappelle celui des *Précieuses ridicules* (sc. 15) : « Voilà le marquisat et la vicomté à bas », dit Mascarille. L'expression *saute, marquis* était devenue proverbiale pour exprimer une joie débordante. Souvenir probable de Regnard, *le Joueur* (1696) :

> « Tu dois être content de toi par tout pays ;
> On le serait à moins : allons *saute, marquis*. »

(acte IV, sc. 9.)

Ainsi, *Le Jeu de l'Amour et du Hasard* se termine par une pitrerie joyeuse d'Arlequin.

ARLEQUIN. — *Chère petite main rondelette et potelée, je vous prends sans marchander* (III, 6, l. 1343)

Claire Duhamel (LISETTE) et Guy Pierrauld (ARLEQUIN) au Théâtre de l'Athénée 1960

ÉTUDE DE LA PIÈCE

1. Le *Jeu* de 1730 à nos jours

Si on en croit Lesbros de la Versane *(l'Esprit de Marivaux)*, Marivaux n'attachait pas une importance particulière au *Jeu*. Alors qu'aujourd'hui, la périphrase « l'auteur du *Jeu de l'Amour et du Hasard* » est aussi usuelle que celle de « l'auteur du *Misanthrope* » pour Molière, les préférences de Marivaux allaient à *la Double Inconstance* (1723), aux deux *Surprises de l'Amour* (1722 et 1727), à *la Mère confidente* (1735), aux *Sincères* (1739) et à *l'Ile des esclaves* (1725). Cependant, dès le XVIIIᵉ siècle, le public distingue la pièce. Les réserves du *Mercure* (cf. p. 34) n'empêchent pas les reprises du *Jeu*, ni les réimpressions (en 1732, 1736, 1740, 1758). Sans doute, le *Jeu* subit, comme l'ensemble de l'œuvre, un temps de Purgatoire. Vers 1760, la mode est aux ouvrages philosophiques. Que pèse la gracieuse fantaisie du *Jeu*, devant l'*Encyclopédie* ou l'*Histoire naturelle?* L'année même de la mort de Marivaux (1763), Grimm souligne ce brusque déclin :

①[1] « Il a eu parmi nous la destinée d'une jolie femme, et qui n'est que cela [...], un printemps fort brillant, un automne et un hiver des plus durs et des plus tristes. Le souffle vigoureux de la philosophie a renversé depuis une quinzaine d'années toutes ces réputations étayées sur des roseaux » *(Correspondance littéraire)*.

La disparition du Théâtre-Italien (1762) est un coup très dur pour les comédies de Marivaux. Mais sa collaboration avec les Comédiens-Français à partir de 1740, et le bon goût de plusieurs actrices lui permettent de sortir de l'oubli. En 1765, Collé souhaite que les pièces « massacrées par les farceurs d'Italiens » soient incorporées au répertoire du Théâtre-Français. En pleine tourmente révolutionnaire, Mˡˡᵉ Contat les fait inscrire (1794-1796) et interprète Silvia. Les arlequinades paraissant indignes du « Théâtre de la République », le valet prend alors le nom de Pasquin et porte la livrée « à la française », qu'il conservera de nos jours.

XIXᵉ SIÈCLE — Au début du XIXᵉ siècle, nouvelle période de désaffection. On reprend les accusations de Voltaire et de La Harpe :

② Marivaux « détaille trop les passions et manque quelquefois le chemin du cœur », son comique est trop « spirituel » (Voltaire, *lettre à M. Berger*, 1736).

Le reproche de composer des comédies « métaphysiques » *(lettre à Moncrif*, 1733) a fait fortune. Le *marivaudage* est considéré comme un style artificiel, suranné et impropre à la scène :

③ « Marivaux se fit un style si particulier qu'il a eu l'honneur de lui donner son nom : on l'appelle *marivaudage*. C'est le mélange

---

1. Le chiffre encerclé désigne à votre attention un sujet possible de devoir.

le plus bizarre de métaphysique subtile et de locutions triviales, de sentiments alambiqués et de dictons populaires : jamais on n'a mis autant d'apprêt à vouloir paraître simple [...]. Cet écrivain a sans doute de la finesse, mais elle est si fatigante ! » (La Harpe, *le Lycée*, 1797).

D'autre part, la génération romantique se détourne d'une époque qu'elle juge frivole et si loin d'elle. Les grandes orgues du *Génie du christianisme*, les cris passionnés de *René* étouffent les tendres confidences de Silvia et de Dorante. Si Racine paraît désuet au vétéran de la retraite de Russie qu'est Stendhal (cf. *Racine et Shakespeare*, 1823-1825), que dire de Marivaux ? On compare Molière et Marivaux, pour accabler ce dernier :

① « Une scène de Molière est une représentation de la nature, une scène de Marivaux est un commentaire sur la nature. Avec une telle manière de procéder, il ne reste que peu de place pour l'action et pour le sentiment » (PROSPER DE BARANTE, *De la Littérature française pendant le XVIIIe siècle*, 1802).

Pour *l'action*, passe ! Mais pour le *sentiment !* Ne serait-ce pas Barante lui-même qui en manque ? VILLEMAIN voit surtout, dans Marivaux, un disciple de Fontenelle ; néanmoins, il met l'accent sur un caractère que trop de commentateurs ont négligé, la sensualité masquée par la délicatesse du langage :

② « Cette comédie que Voltaire appelait métaphysique et qui semble plutôt sensuelle avec subtilité était conforme au temps et vraie par la recherche même du langage » (*Tableau du XVIIIe siècle*, 1838).

Plus surprenante est l'attitude de SAINTE-BEUVE : on pourrait croire que les nuances du sentiment et les finesses du langage dussent trouver grâce devant lui. Or, il se contente généralement de reprendre les critiques de d'Alembert en les aggravant : « Le *marivaudage* s'est fixé dans la langue à titre de défaut : qui dit *marivaudage* dit plus ou moins badinage à froid, espièglerie compassée et prolongée, pétillement redoublé et prétentieux, enfin une sorte de pédantisme sémillant et joli » (*Causeries du Lundi*, tome IX, 1854). Le tort le plus grave de Marivaux, c'est de n'avoir pas admiré Homère et Molière, et de n'avoir pas mesuré la distance du talent au génie.

③ Les personnages de ses romans, « au lieu de vivre, de marcher et de se développer par leurs actions mêmes, s'arrêtent, se regardent, et se font regarder en nous ouvrant des jours secrets sur la préparation anatomique de leur cœur » *(Ibid.)*.

④ Son théâtre, qui « est resté sa gloire », est léger et artificiel : « Souvent, ce n'est qu'un simple malentendu qu'il file adroitement et qu'il prolonge. Ce nœud très léger qu'il agite et qu'il tourmente, il ne faudrait qu'un peu s'y prendre d'une certaine manière pour le dénouer à l'instant » *(Ibid.)*.

Cependant, en 1854, les chefs d'œuvre de Marivaux étaient applaudis au Théâtre-Français depuis un demi-siècle. Malgré le mépris du critique Geoffroy, Mlle Desroziers joue le rôle de Silvia pour son entrée à la Comédie-Française en 1802. La célèbre Mlle Mars, en pleine faveur du drame romantique, impose Marivaux (1833-1841) et termine sa carrière dans le personnage de

Silvia. Peut-être, comme l'insinue Sarcey[1], « soutenue par Molière, protégeait-elle Marivaux » ; du moins, après son départ, Marivaux resta définitivement parmi les succès de la scène. En 1866, Sarah Bernhardt ne dédaigne pas d'être à son tour Silvia à l'Odéon. Or, Sainte-Beuve n'ignore pas ce retour en grâce dû à Mlle Mars, « cette actrice inimitable » ; il reconnaît même que Marivaux « a fait quelques pas de plus dans le gracieux labyrinthe de la vanité féminine », et qu'il a des émules, les « spirituels ou poétiques auteurs de petites comédies, de proverbes, de spectacles dans un fauteuil », allusion transparente à Alfred de Musset. Cependant, c'est à contre-cœur qu'il lui accorde le droit de vivre et d'être « mieux qu'un nom ». Aux noms de Nerval, Balzac et Baudelaire, méconnus par Sainte-Beuve, on peut ajouter celui de Marivaux.

Néanmoins, les efforts de Mlle Mars ont porté. Les critiques et le public découvrent que le « marivaudage » est singulièrement scénique. THÉOPHILE GAUTIER, plus perspicace que Sainte-Beuve et doué de plus de sympathie, aperçoit des affinités entre la fantaisie de Marivaux et celle de Shakespeare :

① « En écoutant cette charmante comédie du *Jeu de l'Amour et du Hasard*, il nous semblait impossible que Marivaux n'eût pas connu Shakespeare. Marivaux [...] passe pour peindre au pastel, dans un style léger et un coloris d'une fraîcheur un peu fardée, des figures de convention prises à ce monde de marquis, de chevaliers, de comtesses évanouis sans retour ; et pourtant, dans *le Jeu de l'Amour et du Hasard* on respire comme un frais souffle de *Comme il vous plaira* » *(Histoire de l'art dramatique*, 1858).

② Le sévère NISARD ne « chicane pas » son plaisir : « Rien de plus aimable, de plus fin avec aisance, de plus ingénieux que les scènes de sentiment. Qu'importe que Marivaux nous y mène par le chemin de l'invraisemblance ? » *(Histoire de la littérature française*, 1861).

On commence enfin à juger l'œuvre de Marivaux pour elle-même, sans la confronter avec des règles dont elle n'a que faire. Et, parmi ses comédies charmantes, la plus souvent jouée et la plus goûtée est le *Jeu*. Alphonse Daudet ne trouve, dans le XVIIIe siècle, aucune œuvre « aussi chaste et aussi distinguée » *(Journal Officiel*, 1877). SARCEY loue sa fantaisie poétique, plus vraie que la réalité :

③ « Tous les jeunes cœurs n'ont-ils pas fait ce rêve : être aimé pour soi-même et, sous un déguisement, s'assurer qu'il en est bien ainsi ? Où ce rêve fut-il jamais présenté sous une forme plus gracieuse et plus poétique ? Non, ces marquis déguisés en valets, ces jeunes filles de grandes maisons éprises d'un domestique, ne sont pas absolument vrais de la vérité réelle et plate ; ils appartiennent aux songes » *(le Temps*, 1881).

C'est encore la fantaisie, associée à la précision de l'analyse psychologique, qu'apprécie JULES LEMAÎTRE : « L'aile du caprice qui emporte si haut et si loin le poète du *Songe d'une nuit d'été* a pour le moins frôlé le front poudré de Marivaux [...]. Toute la poésie de la première moitié du XVIIIe siècle est dans Marivaux »

---

1. *Le Temps*, 14 mars 1881.

(*Impressions de Théâtre*, 1886). Faut-il rappeler les dettes de Musset à l'égard de Marivaux ? *On ne badine pas avec l'amour* (1834) est, par son titre même, une réplique romantique au *Jeu de l'Amour et du Hasard*. Si Musset n'a pas exhumé Arlequin, il a du moins imaginé des marionnettes (le Baron, Bridaine, Blazius, Dame Pluche), dont les réactions mécaniques et les calembredaines ne sont pas sans rappeler la Comédie Italienne. Enfin, si, selon le mot de Paul Valéry, tout s'achève en Sorbonne, le renouveau de Marivaux est consacré par la thèse de Larroumet (1882).

XX\ᵉ SIÈCLE — Le XXᵉ siècle n'est pas moins favorable que le XIXᵉ. Il semble que les apocalypses qui ont disloqué la civilisation occidentale ont rendu plus précieux encore le témoignage humain transmis par Marivaux. PIERRE TRAHARD trouve, dans le *Jeu de l'Amour et du Hasard* et dans la *Double Inconstance*, l'expression la plus haute de la sensibilité (*les Maîtres de la sensibilité française au XVIIIᵉ siècle*, 1931).

① « *Le Jeu de l'Amour et du Hasard :* voilà la merveille! Merveille de tout, d'agencement, de style, d'intrigue, de verve, de brio ; et tout à coup aussi de vérité, presque dramatique quand les auteurs de cette double fourberie se trouvent brusquement placés devant les conséquences de leur jeu. »

Tel est l'éloge central de l'étude d'ÉMILE HENRIOT, (*la Poésie de Marivaux*, 1943, reproduit dans *le XVIIIᵉ siècle*, 1961). En 1943, pour commémorer le 255ᵉ anniversaire de la naissance de Marivaux, JEAN GIRAUDOUX fait lire à la Comédie-Française un *Hommage à Marivaux*, considérant que cet anniversaire, « qui était hier celui de notre fantaisie, est aujourd'hui l'anniversaire de l'honnêteté française » (*Théâtre complet de Marivaux*, éd. Bastide et Fournier). MARCEL ARLAND (préface aux *Œuvres de Marivaux*, 1949) donne la palme au *Jeu* :

② « De toutes les œuvres de Marivaux, c'est sans doute la plus accomplie. Flexible et précise, elle mêle à l'esprit le plus vif la plus délicate nuance. »

La Comédie-Française, les compagnies privées les plus brillantes ne cessent de jouer Marivaux que l'on monte même sur la scène immense du Théâtre de Chaillot. Le Théâtre-Français, à lui seul, compte, jusqu'en 1973, 1 446 représentations du *Jeu de l'Amour et du Hasard*, depuis son inscription au répertoire. Le terme de « marivaudage » est devenu un éloge ; comme le remarque PIERRE BERTIN, il désigne désormais « ces exquises nuances de l'amour dans lesquelles l'esprit et les sens se complaisent » (*les Chevaliers de l'illusion*).

2. L'originalité du *Jeu* : le « *réel dans l'irréel* ».

Voulant définir le théâtre, Jean Giraudoux déclare : « C'est très simple : cela consiste à être réel dans l'irréel » (*l'Impromptu de Paris*). Aucune définition n'exprime mieux la complexité du *Jeu* : comédie de mœurs, comédie de caractères, divertissement italien, intrigue fantaisiste fondée sur des sentiments vrais, il est tout cela à la fois.

L'action psychologique — Plus simple et encore moins chargée de matière qu'une action de Racine, elle ne comporte aucun événement extérieur. Le nœud de l'intrigue, c'est le hasard qui le forme par le double stratagème de Dorante et de Silvia, qui se répercute sur Arlequin et Lisette. Mais ce hasard lui-même est-il « irréel » ? N'est-il pas la conséquence du caractère sérieux et sentimental des deux jeunes gens, qu'un mariage conclu par les pères inquiète à juste titre ? Les rôles une fois répartis, « tout se passe en discours » (d'Alembert). L'opposition traditionnelle des familles aux vœux des enfants est remplacée par la complicité amusée des pères, sentiment beaucoup plus naturel que le despotisme d'Harpagon ou de M. Jourdain. La question d'argent est beaucoup moins importante que dans *la Fausse Suivante*, où Lélio se préoccupe fort de la dot de sa future, et que dans *le Legs*, où le Marquis hésite entre l'amour pour la Comtesse, et les 200 000 francs qu'il doit céder à Hortense. Dès que Silvia et Dorante sont, par leur déguisement, enfermés dans un univers à part, ils échappent aux obligations habituelles de la vie et ne dépendent plus que de leur cœur. A peine Dorante et Silvia se sont-ils vus qu'il est question d'amour (acte I, sc. 6, l. 291), comme si les serviteurs n'avaient d'autre occupation que de s'aimer. Toute l'action se concentre sur un seul point : Dorante et Silvia s'aimeront-ils sous leur déguisement au point de vaincre leur amour-propre ?

Les données du jeu admises, celui-ci se déroule conformément à la vérité des sentiments. M. Orgon le favorise, on n'y a pas de mère confidente pour contrecarrer Silvia. Aucune fatalité historique, légendaire ou littéraire n'alourdit le combat du cœur et de la raison. A l'opposé de Racine, Marivaux crée des personnages libres de toute hérédité. A peine conservent-ils, dans l'expression de l'amour, le souvenir « de la Rose, du Lignon et du Tendre » (Marcel Arland, *op. cit.*). L'amour est leur seule aventure.

Or, cette action, enfermée en d'étroites limites, ne cesse d'avancer au rythme du cœur, un rythme que la durée propre au théâtre accélère quelque peu :

① « Dans cet amour qui s'ignore, et qui peu à peu se découvre à lui-même, l'auteur sait ménager avec art la gradation la plus déliée, quoique très sensible au spectateur [...]. Cette gradation donne [...] une sorte d'intérêt de curiosité » (d'Alembert, *op. cit.*).

A l'acte I, Silvia se divertit d'être courtisée par un valet de bonne mine : « Ils se donnent la comédie ; n'importe [...] ce garçon-là n'est pas sot » (sc. 7, l. 313). Il n'est encore question que de s'informer du maître, en s'amusant par surcroît. Mais le badinage suscite vite l'étonnement : « Quel homme pour un valet [...] voilà un garçon qui me surprend, malgré que j'en aie » (*Ibid.*, l. 347 et 378). De la surprise, Silvia passe à l'estime, et de l'estime à un aveu de sympathie, sinon d'amour : « Il faut qu'il [le maître] ait du mérite, puisque tu le sers » (*Ibid.*, l. 409). Dorante est encore plus prompt à s'enflammer. Il oublie tout à fait qu'il est venu pour épouser Mlle Orgon, et il prolonge le badinage, avouant que son cœur est pris. L'entrée burlesque d'Arlequin brise-t-elle le charme ? Le dépit de Silvia — « Bourguignon, on est homme de mérite à bon marché chez vous, ce me semble » (sc. 8, l. 444) —, et la colère de Dorante contre son laquais montrent que les cœurs battent à l'unisson, mais à leur insu. Le public, prévenu, ne s'y trompe pas. Selon la remarque d'Émile Henriot, « l'enjeu étant connu d'avance, c'est d'abord la façon dont le jeu est mené, les circonstances ingénieuses de l'intrigue » qui piquent la curiosité.

Le mouvement du second acte, un peu plus rapide, est tout aussi naturel : le trouble de Silvia, sa colère contre Lisette, qui l'a devinée, indiquent assez la violence du conflit entre l'amour naissant et l'amour-propre. Son monologue anxieux (sc. 8) et l'entretien avec Dorante mettent en évidence le progrès de l'amour. Tout à la joie troublante d'aimer, les jeunes gens oublient parfois leur déguisement pour n'être que sincérité. Dorante est prêt à jeter sa livrée et amorce l'aveu : « Quoi! Lisette, si je n'étais pas ce que je suis... » (sc. 10, l. 879). Dans le dialogue avec M. Orgon et Mario, Silvia passe par une succession de sentiments contra-dictoires, dont la spontanéité provoque le sourire : irritation, colère rentrée, pudeur de l'amour, qui invente de fausses raisons *(Quoi ! parce que je suis équitable...* sc. 11, l. 965). Après un temps de froideur et une fausse sortie de Silvia, le second entretien avec Dorante (sc. 12) marque une nouvelle victoire de l'amour : Dorante se démasque et avoue qu'il renonce à la fausse Silvia ; celle-ci, enfin rassurée, laisse échapper, par deux fois, le cri du cœur : « Ah! je vois clair dans mon cœur » (l. 1057), joie profonde d'une héroïne digne de Corneille, et : « Allons, j'avais grand besoin que ce fût là Dorante » (l. 1089), aveu touchant de sincérité.

Pourquoi n'avoir pas arrêté ici la pièce, comme le souhaitait le critique du *Mercure* (avril 1730)? Sans aucun doute, pour des raisons d'harmonie dramatique, et plus encore, par un souci de vérité psychologique. Le *Jeu* comprenant deux couples d'amou-reux, il est nécessaire que le spectateur connaisse l'issue de la partie engagée aussi bien par les valets que par les maîtres. D'autre part, Silvia et Dorante peuvent-ils fonder leur bonheur sur un attrait qui peut être passager ? Il s'agit non seulement de vaincre le préjugé de caste par le mariage, mais d'assurer celui-ci pour l'avenir. L'acte III, moins nourri que le précédent, n'est pas davantage statique : au début, Silvia, radieuse, taquine Dorante et éveille sa jalousie, par la feinte recherche de Mario ; on est en plein jeu, monté de toutes pièces. Mais cette « paix douce » (l. 1248) et ce « caquet » joyeux (l. 1273) se transforment vite en angoisse et en douleur, quand Dorante, jaloux et découragé, fait mine de s'en aller. L'éducation sentimentale de cette jeune fille altière et un peu trop sûre d'elle-même n'eût pas été complète, si elle n'avait pas pris conscience du fait qu'on ne doit pas badiner avec une passion, même sincère et ardente. La scène de « dépit amoureux » (sc. 8) est beaucoup plus qu'un intermède charmant : elle détermine Silvia à ne plus retarder l'aveu.

De leur côté, Lisette et Arlequin doublent, sur le mode jovial et comique, les amours de leurs maîtres. Le spectateur passe du sourire à l'attendrissement, et de l'attendrissement à la franche gaieté.

Ainsi l'acte III donne du naturel et de l'épaisseur aux person-nages, sans ralentir l'action que l'auteur a pris soin d'entrelacer d'un acte à l'autre. A l'encontre d'autres pièces, comme *les Serments indiscrets*, il n'y a dans le *Jeu* « nulle longueur ; d'un bout à l'autre, une danse aiguë. Nul repos » (Marcel Arland, *op. cit.*). M. Xavier de Courville, qui monta lui-même le *Jeu* sur la « Petite Scène » (1911), compare le rythme de la comédie à celui d'une chasse : « Le hallali de Silvia, c'est la fin du deuxième acte ; le troisième ne sera plus occupé que de la chasse à Dorante, où Silvia, pour se venger, joindra sa cruauté à celle d'Orgon et de Mario [1] ». D'un bout à l'autre de la pièce, l'« intérêt de curiosité » a été habilement soutenu.

Des personnages de Watteau — Réel et irréel s'entremêlent dans la peinture des mœurs et dans l'analyse des caractères. Le décor du *Jeu* n'est pas une campagne féerique, comme dans *Arlequin poli par l'amour*, ni une île imaginaire où s'ébattent à loisir esclaves, philosophes et dames en révolte, mais un salon parisien, semblable à ceux que fréquentait Marivaux. Les personnages sont ceux du temps : des nobles, des serviteurs. Toutefois, si la société du XVIIIe siècle est évoquée, c'est accessoirement, et l'esquisse paraît légère. Le *Jeu* n'est pas un tableau réaliste et précis à la Chardin, mais une fête vaporeuse, dont les héros costumés et masqués s'embarquent pour une éternelle Cythère. Watteau est mort (1721) au moment des premiers succès de Marivaux, mais le peintre et l'écrivain ont été l'un et l'autre séduits par la fantaisie de la Comédie-Italienne. Leur talent nous a transmis une incurable nostalgie de ce monde chatoyant, reflet idéalisé d'une civilisation exquise, mais non sans défauts. Le XVIIIe siècle du *Jeu* est délivré de ses « petits-maîtres » cyniques, de ses financiers cupides et de ses intrigantes sans pudeur. Marivaux n'ignorait pas les coulisses de la société, mais il s'en est tenu au décor, où les pirouettes d'Arlequin déridEnt Silvia et Dorante, trop purs pour ne pas être inquiets. Tout serait-il donc fiction ? Nullement, selon Jean Giraudoux :

① « Il nous montre, et la description en est trop sensible pour ne pas correspondre à une réalité, une société où l'amour est repris aux dieux brutaux [...] et rendu en toute propriété à l'amoureux et à l'amoureuse [...]. Qui a cherché l'imaginaire chez Marivaux ? Les scènes sont les scènes de ménage ou de fiançailles du seul monde vrai » *(Hommage à Marivaux)*. Ce monde « vrai » n'est pas celui de la matière, mais des sentiments. L'amour de Dorante et de Silvia console de celui de Manon et de Des Grieux, son contemporain [2].

On ne trouve pas, dans le *Jeu*, des caractères aussi marqués que l'Avare, le Misanthrope, ou le Bourgeois Gentilhomme. Le propos de Marivaux n'est pas de ridiculiser un vice ou un travers, mais d'inviter à « la parade avant les noces [...] avant les vraies noces » (Giraudoux, *ibid.*). Cependant, aucun des personnages ne manque d'individualité.

Dorante, successeur des Cléantes, des Philintes et surtout des Clitandres de Molière, possède comme eux l'« honnêteté » de

---

1. *Préface* à l'édition du *Jeu de l'Amour et du Hasard*. — 2. *Manon Lescaut* (1732) est de deux ans postérieur au *Jeu*.

naissance, d'intelligence et de cœur, avec peut-être plus de jeunesse. Fier de sa noblesse, il entend mettre en pratique l'adage négligé par les roués : « Noblesse oblige. » Ce sentiment de supériorité, qui n'est pas sans rappeler la « générosité » de Corneille, se traduit parfois par des injures et des coups de pied au derrière pour Arlequin (II, 4, l. 627), les uns et les autres sans conséquence. Moins désabusé que Lélio de *la Surprise de l'Amour*, nullement cupide comme cet autre Lélio de *la Fausse Suivante*, il est moins compliqué que le Lucidor de *l'Épreuve*. Non qu'il soit parfait ; sa délicatesse a des limites : « Se déguiser en valet pour observer celle que peut-être on épousera : bon. Mais déguiser le valet en maître, vouloir en faire l'interlocuteur de cette fiancée probable, son partenaire, est-ce une machination du meilleur goût ? » (Marie-Jeanne Durry, *op. cit.*). Il est vrai : mais cet indécent travestissement d'Arlequin, comme les coups de pied, font partie des invraisemblances admises à la Comédie-Italienne. Dorante ne veut pas être dupe, mais n'entend pas non plus duper. Il sait plaire par sa conversation aisée, par l'art de relancer un mot et de prolonger le dialogue, mais ce badinage est bientôt l'expression de son amour. Il possède au plus haut point cette sincérité de cœur que Marivaux estimait la vertu essentielle. S'il préfère l'amour à la naissance, c'est autant par raison que par passion. Silvia trouvera dans son mari non seulement un « bon caractère » (I, 1, l. 61), mais un homme de sens en même temps qu'un « aimable homme ».

Silvia est le personnage central de la pièce. Marivaux a rassemblé en elle les qualités les plus charmantes et les plus solides. Elle ressemble à Dorante par son besoin de bonheur et sa noblesse d'âme, mais les sentiments ont chez elle un rythme plus primesautier. Fière, ironique, coquette, ces travers à fleur de peau donnent du piquant à ses vertus. Qu'elle soit plus désorientée que Dorante par son amour naissant, rien de plus naturel : c'est une jeune fille qui aime pour la première fois, et son amour s'adresse à un laquais. Aussi est-il normal qu'elle s'invente, pour elle-même autant que pour les autres, de feintes raisons d'humanité, d'équité, de pitié même. Après avoir approché du désespoir, n'est-elle pas excusable de profiter de sa victoire ? Ce n'est plus par vanité, pour avoir de nouvelles raisons d'aimer qu'elle fait durer l'épreuve. Sa fierté dissimule une profonde tendresse ; sa cruauté n'est qu'apparente ; ce n'est pas elle qui donnerait un congé désinvolte, comme son homonyme de *la Double Inconstance* : « Qu'est-ce que vous me diriez ? Que je vous quitte. Qu'est-ce que je vous répondrais ? Que je le sais bien. Prenez que vous l'avez dit, prenez que j'ai répondu... » Dans le *Jeu*, Silvia est aussi sensible que spirituelle ; vertueuse sans fausse ingénuité et sans pruderie, elle sera une épouse loyale et séduisante : « Il n'y a pas d'honneur à être le cousin d'Hermione, remarque Giraudoux, la belle-sœur de Phèdre, le neveu de Roxane. Il y en a un pour nous à être de la famille d'Araminte [1] et de Silvia » *(Op. cit.)*.

---

1. Héroïne des *Fausses Confidences*.

Arlequin et **Lisette** doublent le couple Dorante-Silvia, procédé comique qui a, lui aussi, sa part de fiction et de réalité : Shakespeare, Molière en ont usé avant Marivaux. Sans doute celui-ci a-t-il recherché un effet de symétrie en même temps qu'une parodie en contre-point, mais les personnages existent par eux-mêmes.

Lisette, jolie, vive et spirituelle, tient le milieu entre la servante de Molière et la soubrette de Beaumarchais. Elle ne mérite plus le reproche d'être « un peu trop forte en gueule » [1], mais ne prend pas encore des leçons de chant et de guitare [2]. Raisonnable, elle accepte la vie sans vouloir un bonheur impossible. Elle refuse de suivre Silvia dans son aversion pour le mariage (acte I, sc. 1), est heureuse de plaire au pseudo-Dorante, mais sait se contenter d'Arlequin. A l'égard de sa maîtresse, elle revendique l'égalité du cœur, non celle du rang : « Mon cœur est fait comme celui de tout le monde » (I, 1, l. 14). Elle prend sa revanche en voyant Silvia troublée par le valet, avec sans méchanceté. Un peu plus acide seulement quand Silvia la froisse dans son amour pour Arlequin : « Mais, Madame, le futur, qu'a-t-il donc de si désagréable, de si rebutant ? » (II, 7, l. 727). Nullement intrigante, elle ne cherche pas à devenir la rivale de sa maîtresse et avertit M. Orgon de son emprise sur Arlequin-Dorante. Beaucoup plus réelle que les Colombines du répertoire italien, elle incarne la jeune Parisienne délurée, mais sans complications.

Arlequin est, sans contredit, le personnage le plus irréel : la Comédie-Italienne et le Théâtre de la Foire ont fixé ce type de balourd comique, avec son masque noir couvert de poils, son costume losangé, et l'inévitable *batte*, qui suscite les coups de bâton. Marivaux conserve une grande partie de ses traits traditionnels : la maladresse (cf. l'entrée en scène, I, 8), les pirouettes, les coups de pied et les mots à double sens (II, 4), le postiche caricatural de la galanterie (III, 6). Si l'on en croit l'ingénieuse exégèse de Xavier de Courville, cette survivance de la *commedia dell'arte* donne même un caractère irréel à l'ensemble de la pièce :

① En substituant Pasquin à Arlequin, « en quittant le domaine de la fantaisie, on risquait de s'enfermer dans la comédie de mœurs, dont les détails surprennent. Comment ce père a-t-il l'imprudence d'abandonner sa fille aux outrages possibles d'un valet ? la cruauté de la tourmenter deux actes sans abréger son martyre ? [voir aussi : Mᵐᵉ Marie-Jeanne Durry, p. 122]. Il y a bien de l'exagération dans la balourdise de ce faux Dorante [...]. Et tant d'équivoques sont invraisemblables ! Or, tout cela cesse d'étonner, si l'on veut bien rester à la Comédie Italienne, et préserver ce *Jeu*, qui reste un jeu, des lois de la réalité [...]. Marivaux ne prétendait pas quitter ici le monde artificiel, où seuls les sentiments vibrent selon l'ordre de la nature. Cette fille de la maison, c'est encore Silvia ; ce laquais n'est point Pasquin, mais Arlequin » (préface à une édition du *Théâtre de Marivaux*).

---

1. *Tartuffe*, sc. 1. — 2. Comme la Suzanne du *Mariage de Figaro*.

Mais l'Arlequin du *Jeu* n'est plus le butor de Bergame [1], ni le pitre des canevas de Regnard, ni même le niais de *la Fausse Suivante*. Sa bonne humeur fait passer ses manières vulgaires, et il a assez de bon sens pour ne pas se prendre au sérieux ; il est comique, tantôt à ses dépens, mais tantôt aussi aux dépens des autres et consciemment. Xavier de Courville reconnaît lui-même cette transformation : « Cette comédie est sans doute celle où le passage de la scène italienne à la scène française contribua le plus à fausser le renom de Marivaux. Dès la fin du XVIIIe siècle, le marquis de Paulmy, la proposant aux théâtres de la société dans son *Manuel des châteaux*, écrivait : *Quoiqu'il y ait un grand rôle d'Arlequin dans cette pièce, il est aisé de la jouer, en substituant [à Arlequin] un valet qui y va tout aussi bien*. Il ne se doutait pas du danger qu'il y avait à remplacer le masque par la perruque. Le raffinement extrême du dialogue, l'atmosphère de bonne compagnie qui règne dans le salon de M. Orgon pouvaient déjà donner le change » *(Ibid.)*. Ainsi la transformation d'Arlequin en Pasquin par la Comédie-Française, est plutôt une orientation nouvelle qu'un contresens : c'est un brevet de naturalisation, auquel le texte même de Marivaux donne son appui.

Les rôles secondaires de **M. Orgon** et de **Mario** sont à la fois naturels et idéalisés. M. Orgon fait oublier son homonyme stupide et égoïste du *Tartuffe*. Loin d'être le tyran domestique de la farce française ou italienne, il ne pense qu'à assurer le bonheur de sa fille. Confiance et affection partagées, gentillesse même, jeunesse de cœur, finesse de jugement, c'est un père parfait comme on imagine qu'eût voulu être Marivaux en pareille circonstance : « Va, dans ce monde, il faut être un peu trop bon pour l'être assez » ; ce mot est à l'honneur de l'auteur comme du personnage. Quant à Mario, s'il tient un rôle plus effacé, il n'en est pas moins ravi de participer à cette comédie, où il joue avec naturel son personnage de faux jaloux.

3. **Le style** même du *Jeu* oscille entre le réel et l'irréel. Tout aussi choisi que celui de *la Vie de Marianne*, il est beaucoup plus vif et ne s'encombre pas de ces « réflexions » morales tant reprochées à Marivaux :

① « Les paroles en sont neuves, subtiles, parce qu'elles affleurent à la zone des silences, parce qu'elles sont la voix des deux sentiments qui jusqu'ici se sont tus, l'amour-propre et la pudeur (Jean Giraudoux, *op. cit.*).

Certes, tous les contemporains ne parlaient pas comme les héros de Marivaux, mais il est remarquable qu'un public de théâtre ait pu saisir les finesses de ce langage. Voltaire, sans le vouloir, justifie la vraisemblance de ce style, lorsqu'il écrit dans *le Siècle de Louis XIV* (chap. XXIX) : « On s'aperçoit aujourd'hui, jusque dans le fond d'une boutique, que la politesse a gagné toutes les conditions. » Et Paul Valéry de renchérir : « On avait des manières même dans la rue. Les marchands savaient former une phrase [...]

---

1. Ville italienne, qui passait pour avoir donné naissance au personnage d'Arlequin, provincial balourd ; voir p. 72, n. 4.

Le fisc exigeait avec grâce » *(Variété II)*. Les maîtres donnent le ton aux valets, comme il est naturel, et Arlequin lui-même n'échappe pas à la contagion de l'esprit. Dans le théâtre de Marivaux, *le Jeu* est peut-être la pièce où le langage a le plus d'unité, sans tomber dans l'uniformité : les contrastes factices entre le parler des seigneurs et le jargon des paysans a été évité (cf. *la Surprise de l'Amour*, *l'Épreuve*).

Conclusion — Ainsi, dans cette atmosphère irréelle mais vraie, uniquement dédiée à l'amour dans ce qu'il a de plus souriant, sa naissance, ce « Racine de la comédie [...] a mêlé dans une proportion savante et délicieuse l'idéal à la réalité, le rêve à la vie, l'imagination à la vérité, de sorte qu'il s'en dégage un charme poétique, fait de grâce et de fraîcheur, qui serait unique dans la littérature, si nous n'avions pas certaines comédies de Shakespeare et certains proverbes de Musset » (Bernardin, *op. cit.*). Aux noms de Shakespeare et de Musset, nous pouvons ajouter celui de Giraudoux, dont la féerie n'est pas sans rappeler celle de Marivaux. Grâce à ces magiciens du Verbe, l'Amour et le Hasard, réconciliés, sourient malgré les brutalités de l'âge technique ; la préciosité sauve de la barbarie.

ARLEQUIN et COLOMBINE
Personnages de la Comédie-Italienne portant petit masque
Faïence fine de Venise

AU PAYS DE LA TENDRES

Gilles
tableau de Watteau
On peut y voir le
portrait de Biancolelli
qui jouait
avec un grand succès
le rôle de
GILLES LE NIAIS
au début du XVIIIe s.

Musée du Louvre. Photo © Giraudon.

L'Amante inquiète ▶
tableau de Watteau

Musée de Chantilly. Photo © Giraudon.

T DU SOURIRE

TABLE DES MATIÈRES

Imprimerie Berger-Levrault, Nancy — 775024-2-1988.
Dépôt légal : février 1988 — Dépôt 1re édition : 1963
Imprimé en France